JN097025

ウクライナの真実

国家の現況2010

ナターリヤ・セメンチェンコ／織田桂子 訳

未知谷
Publisher Michitani

親愛なる日本の読者の皆様へ

今、手にされているこの本は、極めて簡略化した形ではありますが、私どもの国ウクライナについて十分に豊かな情報を集めたものです。この本はウクライナのさまざまなことについて分かりやすく書いてあります。

この本を読みながら、お国の状況とどこか似たところを見つけられるかも知れません。この本を読まれるということは、自国の文化や伝統を愛しておられるということです。そんな皆さんなら、この複雑な相互依存の世界の中で自身のアイデンティティを保ちつつ、経済発展に努めて来た他の国々の経験は興味深いことと思います。

残念ながら、人類の歴史は戦争の歴史です。領土や資源、また物流（商業）の道を得るための戦争の歴史です。おそらく皆さんもお国の歴史の中で思い出される戦争はただ一つということはないでしょう。ウクライナでの出来事の展開を観察しつつ、他国の経験を学びつつ、私はロシアとの戦争が始まるずっと以前に、我々は軍事衝突を避けることはおそらくできないだろうと理解し始めていました。

今日、私はウクライナを去ることも出来るでしょう。でも、私には自分の国を捨てることは出来ません。本質的に私は何の役にも立たない頼りない人間ですが、実際、自分のことを防空守備隊、あるいは榴弾砲のように感じています。それに離れたところだと、全ては余計に恐ろしく感じられます。出国したらすぐに、毎回、ミサイル攻撃の後で電話を手にし、大丈夫だったかと皆に電話することになるのです。

戦争をしている国で我々は今どのように生きているのでしょうか？　これについてほんの少しですが、私の体験からお話ししましょう。

遠くに出かけていて、息子と一緒に車で自宅に向かっていた時のことです。途中で渋滞に遭いました。トラックが何台かひっくり返っていました。両側からガソリン輸送車に挟まれ、ほとんど動けずに私たちはそこに留まっていました。息子は

「あそこから（ミサイルが）飛んで来る」

「あちらに向かって飛んでいる」

「あそことあそこで爆発があった」

といった刻々と受信される戦況速報を絶えず読んでいました。親戚や近しい人々に既に架電できていましたが、もう一度掛けたいと思いました。私たちにも心配して電話が掛かってきました。ミサイルが私たちの方向へ向かって飛んでいるという情報が出ました。私は周りのガソリン輸送車に目をやり、こう言いました。「もし今、攻撃されたり、何かが私たちめがけて飛んで来たらすごい爆発が起きて、半径百メートル以内の生き物は皆死んでしまうでしょう」

怖い。私たちは元気を出そうとしていますが、怖いのです。まだ生きている人たちは、例外なく皆怖いのです。しかし既に、どれだけの人々がこの戦争で亡くなったでしょうか！

一番最初に攻撃を受けた時、私と息子はミサイルが落ちた交差点から百メートルのところに居ました。車で学校に向かっていたところでした。爆発はとても激しく、車がぴょんと跳び上がり、周りの建物からガラスの破片が飛び散りました。私はミサイルが落ちた市の中心部の通りの交差点に、最初に駆け付けた人々の一人でした。焼け焦げた車の数々、血だらけの人々……まだ家を出ていなかった人たち皆に、私は震える手で「どこへも出かけないで」とメールしました。今度は皆が私に「何をしているの！　危険な場所から離れて」と返信してきました。でも離れませんでした。助けが必要かも知れない。周りのひどい状況を見て、私は立ちつくし、涙がとめどなく流れてきました。実際、救助隊員が非常に速く来てくれました。しかし車に乗ったり歩いたりしていて負傷した人々の血やショックは、今でもまざまざと目の前に浮かびます。

役に立つことは何もできないままにその場でしばらくうろうろし、公園を通って地下鉄の駅に向かって、のろのろ歩きました。友人の電話や避難場所に行けとの相も変らぬ忠告を私は一蹴しました。同じ場所を重ねて二度も攻撃するなんてあり得ないでしょう。

子供広場は避けて通りました……長女と一緒にここを散歩した時のことを思い出し、道を渡って隣の建物に立ち寄りました。一〇分後に激しい爆発があり、広場は消えていました。

そう、私たちはこのように生きています。『ロシアン・ルーレット』の概念により深い、限りなく不吉な意味が加わりました。

これは現在のキーウ、首都での話です。夜ごとにミサイルやドローンの攻撃があります。インフラ施設は破壊され、平和を愛する人々が住む住宅街に命中することも少なくありません。ウクライナの他の都市でも全く同じです。そして勿論、前線は、最前線は地獄です。今日、我が民族はジェノサイドとも言えるこの無慈悲な戦争で滅びようとしています。国中で墓地が増加し、一部の地方自治体は墓地に向かうバスを既に運行させています。そうしないと新しく作られた墓地に行き着くことが困難だからです。

今起こっていること全ては、ウクライナ国民にとって大きな悲劇です。私たちが生きている現在の世の中で、こんなことが起こっていることが信じられません。そして既に今分かっていることは、戦争は根絶し難いもので、この戦争が最後の戦争ではないということです。


この本は戦争が始まる十二年前に書かれたものです。そしてこの本は戦争についての本ではありません。この本はウクライナの歴史の流れの中でずっと独立を手にしようと、自らの文化や伝統を守ろうと努めて来た民族についての本です。

鉄鉱石、石炭、リチウム、ウラン、ニッケル、黒土（穀物）、そして不完全な民主主義の存在そのものが、残念ながら、輝ける未来と主権をウクライナが手にするチャンスを奪っています。我が国の地下資源と黒土に多くの国が関心を持っています。今日、戦争をしている我が国から数千万トンの穀物が輸送されていますが、その内の七〇％は海上輸送しなければなりません。巨大企業が破壊され、それらの金属構造物の残骸が二束三文で国内外の市場で売られています。人々はヨーロッパやアジアに新しい平和な生活を求めて国を離れて行きます。

しかし私たち、ウクライナに残った住民は、それでもやはり我々の国ウクライナを信じています。生活し、働き、文化や伝統を大事にしています。できる限り自分の国を護ろうと努めています。親愛なる読者の皆さん、皆さんが読まれるこの本に書かれたウクライナという国を護ろうと努めているのです。

二〇二三年七月十八日

ナターリヤ・セメンチェンコ

国章・三叉戟《トゥリーズブ》

ウクライナの真実

目次

まえがき

　尊敬する読者の皆様！　本書はウクライナについての簡潔な、しかし大変内容のある情報を集めています。たくさんの新しい、必要不可欠の知識を得られるよう編んでいます。最新情報とは言えないかも知れません。私たちは毎日テレビやラジオ、新聞、雑誌、そして数限りない屋外広告などの情報攻撃にさらされているからです。もう長い間それに慣れてしまって、様々なスローガンの目的を深く考えることも少ないようです。考える時間もないし、質の高い信頼できる情報が常に得られるわけでもありません。こういった状況を考慮して、内容を限りなく簡潔なものにしました。それと同時に、ここには著名な学者や政治家などの見解を集めていますが、そこにはウクライナ国民の実生活における主だった出来事の特徴が表れています。本書が読者の皆様の手に取られ、どのような国に私たちが住み、将来に向けどのような可能性があるのかに関心を持って下さることを希います。しかし最も重要なことは、絶え間ない変革が将来もたらす結果に、この国の国民である私たちは、何を期待すべきかということです。

統計情報　ウクライナの領土面積はヨーロッパ諸国のフランス、スペイン、スウェーデン、ポーランドなどを凌駕している。またこの国は多様な鉱物資源の採掘、エネルギーと生産システムで定評がある。耕作に適した黒土保有量では世界の四分の一を有し、専門家の評価によれば、将来、飢餓から世界を救うことができる世界の五大国に数えられる。二〇〇九年現在の人口は約四六〇〇万人、この十五年間にウクライナ人は六〇〇万人減少した！

ウクライナの真実＊国家の現況二〇一〇

多くの知識を持った民衆を治めるのは、困難である　老子

Наталия Семенченко
Охота на правду

© 2010, Natalya Semenchenko
Japanese translation rights arranged with N. Semenchenko

本文中行間に附された数字は出典を意味し212頁以下の文献と対応します

第一章　ウクライナ国家の形成

自由な生活に慣れ親しんだ街を新たに手に入れた者は、その街を根こそぎ破壊してしまわなければ、そこの住民たちに葬られることになるだろう。彼らはいつでも蜂起に訴え、自由と以前のしきたりへの回帰を宣言することができる。時の流れも、施された恩恵もそれらの記憶を洗い流すことはできない。そこで何をし、何を目論んでも、――もし住民たちが分裂したり怠惰でなければ――彼らは以前の自由や暮らしぶりを忘れることはなく、それらは折にふれて再び高く評価される……共和国においては生への意志はより強く、憎しみはより深く、復讐の願いはより強い。昔の自由の記憶は衰えることはなく、彼らに平穏をもたらすことはない。それ故、最も安全な方策は彼らを滅亡させるか、自らがどこか別の場所に移動することだ。

ニッコロ・マキャベッリ『君主論』

係争問題であるウクライナ民族の起源

考古学者は地面から歴史を掘り出すが、それを埋めたのは政治家である。　ガブリエリ・ラウブ

今日、最も論争の中心となっているのは、ロシアとウクライナの民族の起源である。キーウ・ルーシ（キーウ（大）公国とも言い、九世紀後半から一三世紀半ばにかけて東ヨーロッパ及び北ヨーロッパに存在した国）の継承権の在り処やどちらがより重要な民族かというテーマについて、様々な説が際限なく論議され、既に政治問題化している。

曰く、大多数のロシア人は、キーウをロシアの、他でもないロシアの諸都市の母なる街、つまり、未来のロシア人たちの揺籃の地だと考えている。他方、大多数のウクライナ人は伝統的に小ロシア人で、長い歴史の中で大ロシア人（ロシア人）は小ロシア人（ウクライナ人）を支援せざるを得なかったと考えている。この説からすれば、小ロシア人はキーウ・ルーシにほとんど何の関係も無く、彼らの住む土地は国家の辺境にある。そこから「辺境・オクライナ」が変形してウクライナとなったのだというのだ。彼らはロシア人の揺籃の地にベラルーシ人と共にやって来たのだが、主役ではない。この説によれば、ロシア人、ウクライナ人、そしてベラルーシ人は共通の古代ロシア民族の先祖を持ち、その優勢的多数を占めるのがロシア人の先祖だということになる。

根本的に全く対立する他の説もあるが、前述の説の信奉者は他説を盲目的愛国主義の色彩を帯び、究めて国家主義的であるとしている。

しかしながら、膨大な数の資料を精査した結果が示す、事実に最も近い見解を述べたいと思う。この見解の正しさは、この国でも諸外国でも、歴史家の大多数が認めている。

キーウ及びキーウ公国の出現に先行する時代、石器時代から始めると、現在のウクライナの地において、既に新石器時代には農耕や牧畜が始まっていた。その当時、農耕従事者たちの間でいわゆるトリポリエ文化が起きた。シュメール文明や古代エジプト文明と同時代である。「トリポリエ」文化という名はキーウ州にあるトリポリエという村で古代の農民が生活した遺跡が発見されたことに由来する。トリポリエ人は東ヨーロッパ人種の物質的・精神的文化の発達において主たる役割を果たしており、一連の学者たちは彼らをウクライナ人の人種的先祖だと考えている。しかし、トリポリエ文化の隆盛は紀元前四〇〇〇年に当たるので、トリポリエ人をウクライナ人だけの直接の先祖とすることはできない。彼らはむしろ古代インドヨーロッパ人の先祖と言うべきであり、その人々から現代のインドヨーロッパ語族の民族が起こり、ウクライナ人もそこに含まれると考えるべきである。

スラヴ人についての最初の情報は西暦一世紀に現れるが、五世紀にはスラヴ人、ゴート人、スキタイ・サルマート人、フランク人、ケルト人によって共同で生み出されたチェルニャホフ文化が起こる。

その後は、歴史的資料に基づけば、古代スラヴ人は様々な種族の混合であるヴェンド人、アント人、スクラヴィン人に分割される。ヴェンド人はヴィスラ川の流域に、アント人はドニプル川流域に、スクラヴィン人はドナウ川流域に居住した。歴史上、いわゆる民族大移動の時代に、アント人とスクラヴィン人は離れて居住するようになった。六世紀以降、アント人の名前が挙げられることはない。スクラヴィン人はスラヴ族の人々と交わり現代の西スラヴ民族の祖先となった。歴史学者たちの見解によれば、スクラヴィン人こそがウクライナ民族の始祖である。[1]

東部スラブ人の歴史的中心地は中部ドニプロ川沿岸で、そこにはポリャーネ族が住んでいた。ポリャーネ族はドレヴリャーネ族やセヴェリャーネ族、ヴォルィニャーネ族、白クロアチア族、ウーリチ族やティベル族と共に、現在のウクライナの領土に住んでいた。

ウクライナ領土における東スラブ各部族の結合は、七世紀にはすでに一つの民族文化的、言語的、政治的グループとなっており、このグループはそれらの特徴から、北部や東部スラブ部族とは明らかに異なっていたことを研究者たちは指摘している。

このことが九世紀にキーウを中心とし、またウクライナの民族とその言語を形成する早期中世国家の創建を促進した。キーウそのものは、遅くとも六世紀には三つの東スラブ部族――ドレヴリャーネ族、セヴェリャーネ族、ポリャーネ族――の地域で成立し、当時は都市要塞の形態を有していた。その遺跡はスタロキーウスカヤ山で発見された。

様々な証拠から、キーウの創建者と言えるのはポリャーネ族であろう。もっとも「ポリャーネ族」というのは、東スラブ族の南のグループの上層部を統合した人工的な名称と考えられている。ハザール人との関係が難しかったため、ポリャーネ族は好戦的なヴァリャーグ人に支援を求めなければならなかった。ヴァリャーグ人というのは、代表的なスカンジナビア民族で、ルーシという名称の出現とヴァリャーグ人を結びつける研究者もいる。正にこのようにして、隣り合う民族がキーウに中心を置く最初の東スラブ国家の名を掲げたのである。

年代記においては、執筆者は北から来た戦士たちルーシ・ヴァリャーグ人たちについて記述しており、彼らはキーウで政権を奪取し、街に定着し、地域の住民と支配する地域に名称を与えた。年代記執筆者の挙げる証拠の他に、ルーシという名称はスカンジナビアに起源があると主張する人々は、外国の資料を引用している。それらの資料にはドレヴリャーネやセヴェリャーネという名称はあるが、ルーシというスラブの部族に言及しているものは一つもない。[2]

ルーシは地元の東スラヴに起源を持つと主張して、前述の全てを覆そうとする研究者たちも少なくない。このような主張は、中部ドニプロ川流域において、あたかもルス（рус）から派生しているかのようなロス（рос）という語根を持つロシ、ロスタヴィツァ、ロサヴァ等の、古代の川の名前の多さを根拠としている。ルーシという名称がスラブに起源を持つという考えの信奉者たちは、これらの川が流れている土地を、東スラブの部族ルスの領土であったと考えている。ルス部族について年代記や他の資料に言及がないことを、古代の筆者たちが事情に通じていないことや、彼らの不正確さのせいであり、実際古い資料にはよくあることだと説明している。

だが年代記やウクライナ及び外国の資料によれば、キーウ大公国——ロシアの大地を創建したのは東スラブの諸部族、すなわちウクライナ人の先祖たちであるという結論を導くことができる。これらの部族は七世紀から八世紀にかけて、国家及びその首都の創建という長い道のりを自分たちで歩んだ。自分たちの公国王朝を有し、その代表者はキーイとその子孫、キエヴィッチたちであった。[3]

キーウ・ルーシが存在した時代、チュルク人の大きな影響の下でウクライナ民族はさらなる発展をとげる。少しばかり後に、バルト人の影響を受けてベラルーシ民族が形成され、大ロシア民族がフィン・ウゴル人（メリャ、ムーロマ、メシチェラ等々）の影響下で形成される。

以上のことから、いわゆる古代ロシア民族という呼称は、スターリンの時代にもっぱら政治的理由で創作された作り話であると断言できる。キーウ、チェルニヒウ、ハーリチ・ヴォルイニ等々の公国は、現在のウクライナの国土にその位置が確認されているが、時にはその境界も超えてルテニア・ウクライナ人の国家となる。その同じ時にポロック公国がベラルーシ人の公国であり、ヴラジミル・スーズダリあるいはリャザン公国がロシア人の公国であった。

その後のウクライナ民族の展開は、不安定な、国家を持たない存在であったため、矛盾したことが多々起こり、ウクライナ国家の形成は十九世紀から二十世紀を待つことになる。

さて、次は国家の名称に関する話となる。キーウシナ（現在のキーウ州）の文献によれば、「ウクライナ」という言葉、即ち「クライナ」という言葉が初めて登場するのは一一八七年である。その後にこの言葉は段々と古代の専門用語「ルーシ」に取って代わる。この流れは一六四八年から一六五八年の民族解放戦争の時代と、独立ウクライナ国家・ヘトマン国家の復興から顕著になった。ピョートル一世の意志によってモスコヴィア（モスクワ・ツァーリ国）がロシアに名称変更された後、この流れは一層加速する。以前のローマ人がイタリア人となり、ワラキア人がルーマニア人となったように、[3]古くからのルテニア・ウクライナ人、あるいはルーシ（ロシア人）は自分たちの名前を変え、ウクライナ人となった。

　そして最後に。リューリク朝――キーウ・ルーシ時代の支配王朝――はヴァリャーグ人の王朝であるという指摘は重要である。そしてこの場合、それは王朝の為政者たちのことを言っているのであって、民族全体のことを言っているのではないということが重要である。ロマノフ王朝の出自がドイツで、その代表が偉大なロシア皇后、エカテリーナ二世であっても、それによってロシア人がドイツ人になることはないのと同様、キーウ・ルーシの住民たちがその時代にヴァリャーグ人に生まれ変わることはなかった。

　以上のことが、歴史的事実にもっとも近いと思われる。勿論、この説にも反対する人たちは存在する。しかしながら重要なのは、現在存続する全ての民族は、自分たちの統一された伝統的な、歴史的に積み重ねられた文化の代表者たちであり、その文化は生き残り、何世紀も失われることがなかったということである。

　今日のロシアは、自らの豊かな歴史的遺産を持つ巨大な国家である。そのような自らの遺産を、ウクライナもまた所有している。この事実を認識すれば、近隣諸国を脅かすことなどできない。だからこそ、今日、ウクライナの文化や民族の存在を認めることを強烈に嫌がるロシア人たちの、断固たる志向に驚かされるのである。さらに当惑するのは、ウクライナ人自身の、固有の歴史的遺産に対する辛辣な皮肉と不遜である。

ウクライナの国土における国家構造

最も難しいのは、誰の過去であれそれを予言することだ。

スタニスワフ・イェジー・レック

ウクライナ国家の起源は、農耕部族である古代スキタイ人の時代にまで遡る。スキタイ人社会の頂点に立っていたのは「皇帝」と氏族の族長たちであった。皇帝の政権は世襲で、強く専制的であったが、民衆の集会「スキタイ人会議」によって制限されていた。スキタイ人の国家は、概して、奴隷や零落した同部族人、農民の労働の搾取の上に築かれた。スキタイ人社会の基礎となるのは家族であった。政権の関心は税の徴収だけで、よそ者の遊牧民から自国の住民を守ることを決して保障するものではなかった。

紀元前六世紀初頭は、社会的民主主義思想の広がりを特徴としているが、それを農民の土地にもたらしたのはギリシャ人であった。古代ギリシャの思想家たちの思想は、はるかに後年のコサックの時代にも絶大な人気を博した。

このように、古代におけるスラヴの住民たちの政治的な活動の発展は、二つの方向に分かれた。一方では集団的統治形態や人民の権利、民主主義、家族の経済的自治を希求し、他方では「強い」単独政権の樹立を求め、後者は何よりもまず遊牧民から防衛するための戦闘部隊に不可欠であった。

キーウの占領とアスコルド、ディル王朝の根絶の後も、国家の伝統は変わることなく残った。オレフ公とイホル公は商業を発展させ、遠征によってキーウ・ルーシの権勢を強化した。しかしながら彼らの国家の内部組織は全く原始的で、年貢の徴収にのみ限定されていた。その年貢も明確な規定がなかったので、民衆の不満を招いた。

先人たちの統治と違って、オリハ公妃は国家構造の改革に本質的な貢献をした。税と義務の基準を定め、キーウと現地の権力者たちの関係を調整した。オリハはヴィザンチンやローマ帝国との交易関係を、平和的な方法で支援した。

その後、スヴャトスラフ公とヴォロジーミル公は、征服した部族を犠牲にして権勢を強化し、領土を拡大したが、それは民衆の権利を保障する所轄官庁の機能不全をもたらした。住民たちの絶望は蜂起に繋がった。

最も興味深いのは、反公の蜂起が公の政権の制度そのものに反対する示威行動ではなかったことである。それらの蜂起は具体的な個人、いずれかの公に向けて行われた！　もう一つの現象がある。西ヨーロッパの伝統と違って、権力の主体は一人の公のみならず公一族全体であり、その権力主体の個々の代表者が、個々の為政者の役割を果たしていた。

キーウ・ルーシの公の選出は、決まって民衆の集会ヴェーチェの意志に依るものであった。ヴェーチェには最終決定権があり、時には公を他の人物に替えることもできた。この状態を変えられるのは新しい宗教だと予想された。

ルーシにおけるキリスト教はいつもヴォロジーミル公と結びついている。外国の歴史資料にはキーウ・ルーシの洗礼についての記述がないが、アスコルド公の八六〇年代の洗礼について、またコンスタンチノープルの総主教フォティオスによる最初のキーウの府主教ミハイルと、ルーシのための主教たちの任命、即ち、この国における教会組織の生成については記されている。

と言うのも、その時代の政治はリューリク家のキーウ・ルーシ独占的支配権の承認に向けられており、それに立脚して、ヴォロジーミル公自身がキリスト教を導入したのである。年代記のいくつかの断片はなくなったり、ヤロスラフ賢公の依頼で修正されたが、賢公の治世時代にキーウ公国は大きく発展した。彼の後継者たちもまた年代記を偽造した。[4]

今となっては何についても主張することは困難であるが、歴史家たちはルーシのキリスト教化への試みはもっと早い時期に始まったと考えている。ましてや、住民たちが短期間で新しい変化を受け容れ、抵抗がなかったとは信じ難い。つまり、キリスト教の受け入れには一定の期間を要し、それにはアスコルドもオリハも関与しており、最終的にキリスト教受け容れを成し遂げ、確立したのがヴォロジーミルであった。

この件には、十二使徒の一人、アンデレが「キーウの山々」を訪れたという伝説も含めて考えられる。彼は使徒ペテロの兄弟で「キーウの山々」に十字架を立てたのだが、その十字架は新しい宗教の来るべき勝利と、未来における都市の素晴らしい繁栄の予言を象徴している。この伝説はキーウをコンスタンチノープルと同列に置くものであった。何故なら皇帝の大主教管轄区域の創始者が、国の前教化者の役割を果たしたからである。

政権や特権をめぐり、ルーシの諸公間で絶え間なく揉め事や内乱が起き、それによって国家は決定的に弱体化した。個人的な関係の解決のために公たちが外部の兵力「邪教徒」を引き入れたが、彼らはただロシアの土地を強奪しただけであったことも重要である。結局、アジアの侵略者たちの波が、諸公たちの紛争で衰弱したキーウ・ルーシを全滅させた。

モンゴル・タタールの集団虐殺の後、残った国家体制はしばらくの間、現在のウクライナ西部でハーリチ・ヴォルイニ公国の形で維持された。そこでは有能な司令官であり組織者であるダニーロ・ハーリチ公が、モンゴル・タタールとの戦いのために、ヨーロッパの諸君主の同盟を作ろうと努めた。

年代記から結論を導けば、当時のハーリチナ地域はルーシにおける寡頭統治の見本であったということである。ハーリチナの大貴族たちは他の公国の大貴族たちと違って、公の親兵出身ではなく、地元の氏族の上流階級出身であった。彼らは共同体の土地を奪取し、塩泉を有する領地や財産を、そして順調な商売を手に入れた。それ故、ハーリチナに到着後、リューリク朝の子孫は貴族たちに会うこととなったが、彼らは全く臆することなく、自分の利益を擁護する準備が出来ていた。ハーリチ・ヴォルイニ公国の全歴史、それは公たちと大貴族寡頭支配との戦いの歴史であり、大貴族は社会の利益よりも自分の一族の利益を、あまりにも頻繁に優先させた。[5]

ハーリチ朝の断絶後、ハーリチナの地にポーランド人が侵攻したが、彼らは現地の住民たちを酷く迫害した。ウクライナの正教徒の貴族階級は、高位の国家の役職に就くことが禁止され、民衆は中心地区、あるいは街そのものに住むことを禁止された。農民に至ってはさらにひどいものであった。ウクライナのエリートの代表者たちは、自分たちの財産を維持するために、大半がカトリックに改宗した。

同時期、他のウクライナの領土には、リトアニア公国が侵攻した。彼らはロシアとの繋がりを侵攻の論拠にしていた。住民も貴族も、リトアニア人に対して実質的に何も抵抗しなかった。彼らの振る舞いが十分に民主的だったからだ。リトアニア人たちは「新しいものは導入しないし、古いものは壊さない」と言明した。このようにして以前のキーウ・ルーシの地の住民たちは、自分たちはリトアニア公国の人々と平等の状態であるし、文化生活のある一定の部門では優勢であるとさえ感じた。

一五六九年、ルブリン合同の締結後、ポーランド王とリトアニア大公からなるポーランド・リトアニア共和国の創建が宣言された。第一に、この共和国は北方や西方からのドイツ騎士団、東方からのロシア・ツァーリ国の領土拡大、そして南方からのトルコとタタールの襲来に抵抗しなければならない。ウクライナの貴族階級はこの共和国から一定の特権を与えられたが、農民は決定的に抑圧された。しかも国主が彼らを遊牧民から守ってくれることは期待できなかった。農民たちが当てにできるのは自分の力しかなかった。宗教の崩壊、貴族階級への信頼や尊敬の喪失、法外な賦役、そして遊牧民の襲来に対する防衛手段の欠如、このような状況下で農民は新しい運命を捜さざるを得なかった。こういった経緯でコサックが出現する。

コサック時代の悲しい歴史

あなたを飲み込もうとするのは防げない。せめてあなたは、消化されないよう努めなさい。

ジャン・ジャック・ルソー

当初から、コサック編成の目的はジーコエ・ポーレ（荒野・南のステップ地帯）との境界を防衛することであった。従ってコサック軍幹部は自分の部隊に、身元のはっきりしない人々をかなり頻繁に入隊させていた。それは賦役からの逃亡者、軍人、冒険家等々、「胡散臭い人々」であった。そのような状態が原因となり、後になってコサックの組織は「民主的な組織」と「幹部貴族の組織」の二つの流れに分かれることとなる。

ポーランド・リトアニア共和国は遠近に拘らず隣接する国々と絶えず戦争をしていたので、コサックはこの共和国にとって無尽蔵の軍事力源であった。しかも対トルコ、タタールへの遠征で成果を挙げ捕虜を解放したため、コサックはウクライナ民族の利益を守る真の擁護者だというイメージが出来上がった。

コサック国家の発展に大きく貢献したのは、コサック軍の有能な総司令官であり改革者であるペトロ・サハイダーチニーである。彼はコサックの軍事力と経済力を、政治的に弱いウクライナの教会上層部と結びつけた。当時衰退していた、ウクライナ正教会の高位の教会階級組織を再興したのも正に彼である。サハイダーチニーは教育改革においても多くのことを成し遂げた。サハイダーチニーの偉業を決定的なものにまで導いたのが、司令官で国政担当者であり、政治家で外交官でもあったボフダン・フメリニツキーである。

フメリニツキーが求めたのは、国際的に認知された確固たるウクライナ国家の創設であった。しかし彼が同盟者を捜している間に、ポーランド軍が反乱軍を壊滅する目的でウクライナに進軍した。コサックは防衛から攻撃に転じた。しかし、ボフダン・フメリツキーはポーランド軍を粉砕するまでには到らなかった。阻止したのはクリミアのカーン（君主）イスラーム・ギレイで、彼は背後からの攻撃で威嚇し、君主の権利を守るためだと弁明した。そのためコサックは、いわゆる暫定的なズボーリウ条約で満足せざるを得なかった。その条約は何よりも先ず、正教会とカトリック教会の権利を平等にするものであった。農民がこの条約から得るものは実質的に何もなかった。[6]

コサック国家発展の運命は苦難に満ちていた。常に軍事紛争や、隣国と結んだ非現実的な協定を伴うのだった。ズボーリウ条約の後、次のベロツェルコフスキー協定はウクライナ人たちにとってさらに過酷なものだった。次第にコサックは、どこからでも侵攻を許す状態に陥った。そしてヘトマン（ウクライナの首長）は独立のための戦いの援助をロシア・ツァーリ国に求めた。しかしウクライナが強い独立国家となることは、モスクワには望ましくなかった。

一六五三年十月、モスクワはウクライナを「偉大な皇帝の庇護のもとに」受け入れることに合意した。翌年の一月からペレヤスラウ条約の会談が始まっていた。この会議は、歴史に最も大きな反響と捏造を引き起こした。[7]

モスクワにおける条約の締結と承認の後、コサックの大使たちは皇帝が下賜する「権利と特権を認める憲章」を持ち帰った。その際、この文書は二つの言語――当時のウクライナ語（の文語）とロシア語――で用意された。歴史家の意見によれば、それらは相異なるものである。

条約の署名自体が危うく頓挫しそうになった。コサック軍の曹長はヘトマンと共に条約の順守を誓わなければならなかったが、モスクワの大使たちは皇帝の名においてそのような宣誓を行うことを断固として拒否したのだ。「君主は臣下の前で誓うことはせず、その言葉で十分なのだ」という説明にコサックは提示された「誓いの言葉」だけで満足せざるを得なかった。

ウクライナ・モスクワ条約の内容は、全くコサックたちには知らされていなかった。それどころか、現物の文書が保管さえされていない。ロシアにそのコピーがあったが、後にエカテリーナ二世が破棄してしまった。従って、文書の内容を知るまでは、大多数のコサックがモスクワ皇帝に忠誠を誓うことを望まなかったのは当然であった。一方キーウの住民たちは大概、力ずくで宣誓させられた[8]。

いずれにせよ、条約文書の条項に関する情報は、破損した状態ではあるが、今日まで伝わっている。歴史家たちは様々に解釈しているが、次のことについては疑いの余地がない。つまり、条項の基本的思想はウクライナとロシアとの国家間の関係樹立にあり、その背景には、ウクライナの国家的自立――対外的にも内政的にも――が定着していたということである。しかしボフダン・フメリニツキーの死後、モスクワ政府の役人たちは、獲得された合意条項やコサック国家の昔からの権利や特権を侵し始めた。

モスクワ側の違約は、コサックの広範な自治を約束したポーランドとの交渉を再開させた。公式にウクライナ・モスクワ条約を廃棄通告する新しい条約が締結された。それがガディアチ条約である。

これらの出来事の後、しばらくしてコサックは自分たちのヘトマン、イヴァン・ヴィホフスキーを失い、ウクライナでは非常に困難な時代が始まった。その時代を歴史家たちはルイーナ（廃墟）と名付けた。その時代は無政府状態、無秩序で、恐ろしい内戦の時代だった。

いわゆる庇護者たる隣国はこの状態を利用してウクライナを二つに分割した。ドニプロ川西岸はポーランド・リトアニア共和国に組み込まれ、東岸とキーウ周辺の地域はロシア帝国に組み込まれた。

一七六四年、エカテリーナ二世は政治制度としてのヘトマン支配体制を廃止したが、国家行政の全権は、ロシアの将官・総督の官位にある総裁を長とする小ロシア（ウクライナ）の幹部会議に移管した。

「追放となったヘトマン」ピリプ・オルリクは亡命生活の中でこのように記した。

「ウクライナの独立に反対するモスクワ宮廷の主な根拠となったのは、ウクライナは独立した国家であったことがないというテーゼ（根本主張）、また、ロシア帝国はウクライナを解放したが、その自主独立はヨーロッパにおける勢力均衡を乱すことになるというテーゼであった」

ヨーロッパ側は、ウクライナ民族の国家的独立のために、ロシア帝国と対決するつもりはなかった。

第二章　二十世紀のウクライナ

国家とは、その本質において巨大な墓場であり、そこでは自己犠牲、死、そして個人的な、その地で営まれた生活の全ての現象、ともに社会を構成している各部分の全ての利益の埋葬が行なわれている。これは祭壇であり、その上で民衆の本当の自由と幸福が、政治的偉業のために犠牲となる。この犠牲が大きければ大きいほど国家はより完全となる……

ミハイル・バクーニン

革命前後のウクライナ

国家というのは人々の共同体で、人々を統合しているのは、共通の祖先という幻想と隣国への共通の憎悪である。

ウイリアム・インジ

十九世紀末のウクライナの地を想像してみよう。ヘトマンの行政自治は廃止され、伝統的なウクライナのエリートの大多数は、モスクワの支配階級に併合され同化した。一方、十七世紀から十八世紀にかけてさらに発達したウクライナ文化は抑圧され、主として農民の文化となって田舎風になった。これは、その後のウクライナ農民のロシア化への前提条件を作る初めての試みであった。一体、農民に何の関係があるのか……

一八五四年に医学博士ド・ラ・フリーズによって編纂された、キーウ県の農民の民族学的な記述に話題を移そう。彼は帝国モスクワ医学外科アカデミーの医師であり、キーウ国有領地の主任医師であった。[10]

「……農民たちの食事は夏も冬もほとんど同じである。彼らは次のような物を食している。祝祭日を除いて、また小麦がとれる地域を除いてライ麦パン、蕎麦パン、大麦パン、たまに小麦のパン。ボルシチは塩漬けラード、あるいは豚肉、キャベツ、ビーツ、スイバ（レモン）、その他の野菜で作っている。たまに牛肉を食べるが、よく食べるのは豚肉、羊肉または鳥肉である。しかし肉食は祝祭日、または日曜日だけである。

概して彼らはジャガイモをたくさん食べるが、それはどこでも作っていて、特に砂地でも栽培している。また大麦、蕎麦、小麦の粥やガルーシキ（スープ又は牛乳で煮た団子）も食べる。ガルーシキはライ麦、小麦あるいは他の粉、卵、牛乳、チーズで作る。クルミ、豆類、トウモロコシ、ニンニク、玉ネギ、生の、あるいは塩漬けのキュウリも彼らの食材に含まれる。パンや他の食材は概ね豊富であり、土壌が砂地で土地が痩せている村や、穀物やジャガイモが不作の年を除いて、キーウ、ヴァシリキウ、チェルカースイ、ズベニゴロド等の郡では品質が良い。

……農民たちはウオッカをたくさん飲むが、特に祝祭日や日曜日、結婚式、洗礼式や葬式でよく飲む。酔っぱらった人々を、特に居酒屋ではしょっちゅう見かける。しかしこの悪習慣にふける人々の数を減らすための対策がとられてからは、多くの村で酔っぱらいの数は大幅に減った」

ド・ラ・フリーズが強調しているのは、全体として農民たちの状態は貧しくはなく、飢えてもいないということである。その勤勉さと土地の収穫高を考慮すれば、ウクライナの農民は、歴史家の当時の評価によれば、ヨーロッパの他の村々の中で最も高い生活レベルを有していた！　農民たちの主な仕事は耕作、野菜作り、そして様々な副業であった。

「多くの人々が巣箱を家の傍に置いたり、森の中の松のてっぺんに取り付けたりして養蜂を営んでいる」

興味深かったのは各村落の自治で、税のシステムも大変融通が利き、民主的である。

「都市や村の統治は村長たち、あるいは選出された人々が行っており、彼らは言い争いが起きた時にはそれを審議し、判断を下す。一年に二度、国の税金やその他の県徴収の支払い金として、各集団でお金が集められる。国の税金は、政府の指令によって、各納税義務者から徴収されるが、多くの理由でこれは農民にとって大変重荷であっただろう。それ故、その地方の役所の決定に従って、各家庭、あるいは各集団の税は、その長となる人々に個々の状態を考慮しつつ請求される。かくして、家畜のいない（馬を持たない）家庭は税金の半分を払い、土地を持たない農民は、家畜はいないが土地を持っている農民が払う税金の三分の一だけを払う……

……キーウ県の農民たちは全体として本来温和な人々で、その善良さで際立っており、彼らの中に悪事を企む者はほとんどいない。道はどこも安全で、殺人や盗みの話は全く聞いたことがない。多くの農民は思慮分別があり論理的である。彼らの多くのただ一つの欠点は、怠惰と大酒飲みの傾向があることだ。彼らは結局のところ、信仰深くて不和が嫌いで、客好きである。彼らのところにはいつも御馳走があり、それは客の一人一人に心をこめて振る舞われる。彼らは決して嘲笑好きではなく、自分の隣人に対する侮辱的な言いまわしやあだ名など持っていない。畑を耕すという毎日の仕事やその他の農村の仕事が、辛い仕事をこなす全ての労働者がそうであるように、彼らの道徳に影響を与えている。

……農民たちは生まれ故郷に大変愛着を持っている。彼らの話から結論付けられるのは、彼らは他の土地でどんな利益が得られようと、自分の生まれた村を離れることは望まないだろうということだ」

つまり、一般的なウクライナ人像は、十分に魅力的な姿をしている。多くの研究者がウクライナ人の温和さと人の良さを強調している。しかし、だからこそウクライナ人は、自分たちの財産や特権を多数の侵害から守ることができなかったのだ。

社会学者のH・ヘッセル・ティルトマンはその著書『農民のヨーロッパ』（一九三四年）でウクライナ人について次のように述べている。

「ウクライナ人は好戦的でも、侵略的でもなかった――これが彼らの混乱の真の原因だ。彼らはヨーロッパで最も文化的で民主的な農業人種であったし、今もそうである。この人たちが望んでいるのは、自分が所有する小さな土地での平穏な生活だけである[11]」

フランスの歴史学者ダニエル・ボーヴォアが、一八六三年から一九一四年の五〇年余のウクライナの地における社会政治的、文化的プロセスを研究する中で注目したのは次のことであった。即ち、最も人数の少ないドイツ人、チェコ人の居留民を除き、この地に住んでいたのはウクライナ人（数の上で一番多い）、ユダヤ人、ポーランド人、ロシア人であるにも拘らず、一九二〇年に至るまで社会の発達に影響を与えたのは正にポーランドであったということである。[12]

ソヴィエト時代においては、「ロシアの」ウクライナという論が創作された結果、追放されたポーランド人領主のことは誰も思いださず、しかもポーランド人は搾取者だと見なされていた。一方ウクライナ人は、ポーランド人もロシア人も自分たちの土地の居候だと思っていた。ポーランド人自身はというと、ロシア人のことを侵略者だと思い、ウクライナ人のことは反抗分子だと思い、ユダヤ人は寄生虫だと思っていた。

一八六三年の統計によれば、ドニプロ川西岸のウクライナでは約六〇〇〇のポーランド領地が、三五〇万人のウクライナの農民の土地より大きな面積を占有していた。ロシア人領主の家庭は一〇〇〇戸以下であった。勿論、ドニプロ川西岸のウクライナの農民や領主の何世紀にもわたる伝統は、ロシアのそれとは著しく異なっていた。

注目すべきは、一八四七年以降、ウクライナ農民に六〇万ジェシャチーナ（一ジェシャチーナは一・〇九ヘクタール）の土地が返還され、それによって彼らの土地が四〇〇〇万ジェシャチーナにまで増えたことである。しかしながらこの事実は、ポーランド人領主の利益にはそれほど影響しなかった。[13]

この時代、ロシア政府はずっと一つのことを考え続けていた。それはどのようにしてロシア人地主がポーランド人領主に取って代るかということであった。それは大変難しいことだった。何故なら、ロシア人地主は主に都市部に住み、農民とはどんな繋がりも決して持つことがないのに対し、ポーランド人領主は主人として領地にとどまっていたからである。

ペテルブルグ発の皇帝の特別勅令は一八六五年に始まったのだが、それはウクライナの「耕作地分割化」のためのものであった。領地の買い足しや税金引き上げを全面的に禁止し、段々とロシア人地主への領地売却を余儀なくさせようとするものだった。ポーランド人はもう長い間、皇帝政府の高官たちに賄賂が効くのを考慮して、命令を全て回避する術を学んではいたが、このような政策はやはり時間と共にその効果を証明することとなった。

ウクライナの領土をめぐるポーランド人とロシア人の戦いは、次第に民族的、愛国的性格を帯びて来た。双方が自分たちの行動は「神聖な」使命だと思い、熱心に自身の利益を固守していた。

ロシア人はお決まりの命令を続け、ポーランド人から少しずつ土地を横取りし続けていった。それに対抗して、ポーランド人は自分たちの土地を守る新しい方法を見つけ、九十九年に及ぶ長期賃貸借を導入した[12]。

しかしその後、皇帝政府の高官たちによってこの新制度は廃止され、ポーランド人領主の遺産相続には厳しい規定が導入された。遺産は一親等の親族にのみ相続されることになったのだ。賃貸借の廃止に関して言えば、それによって被害を被ったのはポーランド人だけではなくユダヤ人もそうである。彼らはポーランド人からもロシア人からも頻繁に土地を賃借していたのだ。

こうしたことがあったにも拘らず、二十世紀初頭、ドニプロ川西岸のウクライナの半分は、やはりポーランド人が所有していた。彼らは三三八六の領地を所有しており、その内、八〇〇の領地は一〇〇〇ジェシャチーナを超えていた。また七八％の領地は一〇〇〇ジェシャチーナ以上を有していた。ニコライ二世の統治の時代に圧迫は止んだ。何よりも重要なことは、ロシア政府高官たちの企てにも拘らず、また、四十年にわたってウクライナの貴族の土地の半分は彼らに占領されていたが、ポーランド人の全体的な福祉は向上したことだ。土地の価格は一八六〇年と比べて六倍以上になり、土地を維持していた人々は第一次世界大戦が始まる前には極めて裕福になっていた。しかも、国のこの地域はポーランドのエリートのみが所有していたので、所有者たちの間には階級的連帯の感情が盛り上がった。それは、土地が誰にでも売り渡されていた他の地域とは異なることだった[12]。

十九世紀末のウクライナの農民の過酷な状態や「土地の飢餓」は、第一に人口学的原因によるものだと説明されていた。というのも、一八六四年から農民の数が倍増し、全体で九〇〇〇万の人口の中で六〇〇〇万人になっていたからだ。しかし彼らは自分たちの四〇〇〇万ジェシャチーナの土地に留まり、その一方で七〇〇〇〇人のロシア人とポーランド人の領主たちは、六五〇〇万ジェシャチーナの土地を占有していたのだ。[12]

封建時代の名残のポーランド人の遺産であったのが、当時のいわゆる「混在地条耕地」、つまり分与地である。土地は貴族が農民に耕作のために与えたのだが、多くの貴族の分与地の間で、幾つもの狭い帯状の形になっていった。しかしロシア人領主は農民たちにそのような権利を認めることを欲せず、力で土地を取りあげ、貸し出そうとした。

ロシアとポーランドの競争は、ウクライナの地で当時絶え間なく続いていた。皇帝の政権は、その時々の望みを念頭に、ウクライナの農民の不満や、起こり得る反乱を抑えることが必要だった時にはポーランドの支援を利用し、またポーランドの影響や土地問題への過剰な干渉を制限しようとする時にはウクライナの農民を利用した。

ポーランドの貴族領主も、ロシア政府の高官たちも、実際のところウクライナ人を恐れていた。そしてもし、ポーランド人がウクライナ人のことを「我々の国民」のように言って、自分たちを「兄弟」だと偽ろうとしたら、皇帝政府は農民への体罰さえ導入し、反抗的な国民を監視するための援軍としてコサックを連れて来た。領主たちはウクライナ人の無秩序な群衆から守るために自分の領地を高い塀で囲ったが、それでもやはり群衆は一九〇五年に騒動を起こした。

ポーランド人は更に約三分の一世紀の間、ウクライナの土地に留まり続けた。二〇年代にはポーランド貴族領主の一部はソヴィエト政権を喜んで受け入れたが、それは、スターリンが三〇年代に彼らをカザフスタンに追放するまでのことだった。

歴史家たちの間では、第一次世界大戦の原因の一つは、正にウクライナの地の政治状態の不明確さであったという説がある。

一九一七年の九月、「ウクライナの問題」と題する論文でウクライナを取り巻く状況を考察しつつ、有名なイギリスのスラブ学者シートン・ワトソンは次のように指摘している。「ウクライナの問題は、第一次世界大戦を引き起こした重要な原因の一つで（このことを一九一六年の一〇月に初めて彼は口にする）、戦争の経過は将来、この問題を無視することは出来ないということを証明している。ウクライナの問題は今風の作り話ではなく、ヨーロッパの時代遅れの問題である」と。この件については、十七世紀に既に英語で出版されているウクライナの出来事を扱った多くの書籍が証明している。[11]

ウクライナ・ロシア関係の分析に取り組んだシートン・ワトソンは次のような結論に達している。即ち、ペレヤスラウ条約の中に不和の起源を捜すべきで、正に「これら二つの国の間に存在する政治的世界観の相違よりも、より大きな相違を想像することは出来ない。一方では古いモスクワが存在し、その中ではヨーロッパから借用した方法によって専制政治がさらなる力を得た。他方では自由に形成された共和国的組織が存在し、その組織は完全に民主的な地方制度に基づいて成立している。火が水と一つになるのが不可能なように、これらの対立するタイプの政府の一つが、もう一つのタイプの政府の管轄下に入ることも不可能である。十八世紀の状況では、皇帝の専制は……不可避であった[14]」

ウクライナ人の国家体制の有無によって、ヨーロッパにおける勢力均衡は本質的に変わり得た。もし、現在のウクライナの領土における全体的な経済状態を観察すれば、ドニプロ川西岸のウクライナに強力な経済力の存在を確認できる。一〇年毎に小麦、ライ麦、ビーツの総生産量は増加した。農産物の一部は海外市場に出荷され、一部は国内市場で売買され、主にアルコールに加工された。最も利益が大きいのは砂糖で、一四七の製糖企業が砂糖を生産していた[14]。（一九一四年のデータによる）

日常生活に関して言えば、農民たちは一八六一年の農奴制廃止で途方に暮れたが、その後領主から小さな耕作地をもらい、自身の経済を立て直し始めた。正にこのウクライナ農民の自分の土地への希求こそが、ロシアの共同体とは違って伝統とつながっている。ウクライナの土地の所有者は、ほとんどいつも外国人であったという事実を認識すれば、ウクライナ人が何故いつもこれほど強く、自分で自分の運命を決定しようと努めたのかが理解できる。

「ウクライナ人の文化水準は、現在彼らを抑圧している人種の水準より高い[11]」。「ウクライナ人をロシア人にしようとする全ての試みは無駄であった[11]」。ウクライナ人の独立への志向は根絶しがたく根強いものである。これは自由を愛する気質に特有なもので、彼らの民族的自覚の最深層部に根付いている。「何世代にもわたってウクライナ民族は、ヨーロッパの他のどの奴隷化された民族よりも献身的で根気強く、自分たちの民族的理想（解放）に忠実であり続けている[15]」

歴史的考察から結論を導き出そう。現在のウクライナの領土で十九世紀の長きにわたって主人顔をしたのは、オーストリア人（東ハーリチナ、リヴィウ、テルノーピリ）、ポーランド人（ドニプロ川西岸ウクライナの一部）、そしてロシア人（ドニプロ川西岸及び東岸ウクライナ、民族的ウクライナ領土の八五％）である。最も経済的に発達したのはドニプロ川西岸ウクライナで、それは主にポーランド人貴族領主の成熟した領地経営によるものであった。

オーストリア人は大変民主的で、東ハーリチナに彼らが与えた影響の結果は、科学、芸術、文化の発達の点から見て、全体として肯定的なものである。その上、オーストリア人は教育でも、行政官庁でも、出版でもウクライナ語を否定しなかった。オーストリア人と違ってペテルブルグは、帝国の階級の論理の流儀で振る舞い、最初は農奴制支援のために、そして一八六一年に農奴制が廃止になってからは（ちなみに、オーストリアは一三年早くウクライナの地で農奴制を廃止した）反抗的な地域での秩序の保障とその管理のためにポーランド人を利用した。勿論、ウクライナ語はロシア人によって禁止された。

それにも拘らず、ロシア行政機関の買収されやすい体質が、侵略とウクライナ人の同化を上手く進める妨げとなった。また、ロシア人によるポーランド貴族領主の弱体化のプロセスは、かなり困難で長期にわたるものとなった。

ウクライナの民族運動と独立の意識は、実際、全ての外国人にとって大きな障害であった。それ以外に、ウクライナ人の人口は、ポーランド人やロシア人よりはるかに多かったが、それは主として出生率のお蔭であり、それにこの二〇〇年間のウクライナにおける寿命は、ロシアのそれより長いのである。

ソヴィエト社会主義共和国連邦の一共和国としてのウクライナ

自分の過去を覚えていない者は、それを再び体験する運命にある。
ジョージ・サンタヤーナ

二十世紀前半の自由な世論で誰もが語ったのは次の結論である。即ち、ウクライナのロシア帝国への併合によって、ウクライナは西ヨーロッパとの伝統的な交流を断たれ、外国貿易上の優位性と地政学的指向を強制的に変えられた。帝国政府側からの社会的、文化的生活の意図的な中央集権化が、特別な許可なく居住地を離れることや学問の禁止につながり、政権の管理体制にも反映した。これによってウクライナの交易は帝国の北側の港などを通じてのみになった。「歴史的に形成されたウクライナと西側市場との通商関係を断ち切り、崩壊させるまでロシアの通商・関税政策が停止することはなかった。それはそもそもウクライナの通商を破壊し、ウクライナの市場をモスクワ商人の手に渡し、経済的にウクライナを北へ、偉大なるロシアの中心であるペテルブルグやモスクワへと引き寄せるためだった[16]」

一九一七年、社会主義的構想によりロシアの為政者階級が自身の政治的役割を失い、政界における地位を「労働者の代表者たち」に譲った時、ウクライナは社会的に「労働者」の二つの陣営に分裂した。一つ目のグループを形成したのはウクライナ語を話す農民で、当時の人口の八〇%を占めた。二つ目のグループを形成したのはロシア語を話す労働者階級と軍人だった。つまり、ウクライナでは同時に二つの革命が進行し、それらは社会的スローガンは似ていても、本質的にかなり異なるものだったと言える。

ロシア語を話す労働者階級の社会では、ウクライナにおける革命はロシア革命と全て共通する特徴、つまり、労働者と兵士代表の代議士のソヴィエトと、ロシア共産党の地方組織を有していた。ここでは実際、全ロシアの革命の単なる地方バージョンが進行していた。ウクライナの村では、ウクライナ中央協同組合委員会によって統合された農業協同組合網と農民連合を通じての自己組織化のお蔭で、ウクライナの社会主義者たちはいつでも何千というウクライナ農民を、市のデモ行進に動員することが出来た。これがウクライナ運動とその機関の勢力、在キーウウクライナ中央ソヴィエトの力の鍵であった。

組織されたウクライナ社会、中央ソヴィエトとウクライナ人民共和国反革命政府においては三つの政党が優勢を占めた。それはウクライナ社会民主労働党、ウクライナ社会革命党、そして半自由主義的なウクライナ社会主義連邦党である。ウクライナ社会民主労働党には最も経験豊かな党活動家が居たが、この党は大変少人数の社会グループ、ウクライナ語を話す労働者階級を代表しようと努めた。他の二つの政党は事実上、一九一七年になってから現れ、政治綱領を採択した。最も強力な党はウクライナ社会革命党で、一九〇三年にドラゴマノフとマルクスの学説を一致させようと努めた同好会から出発した党である。この党は農民の協同組合運動を基にして作られた。[17]ウクライナ社会主義連邦党は、主に古くからの文化人や科学者からなるウクライナ信奉者団体を基礎にして組織され、ウクライナ運動の最も実用主義的な部分を占めた。

ウクライナの社会主義者は全ての社会主義者がそうであるように、社会主義は単に経済分野への民主主義の波及だと信じていた。

ボリシェヴィキの一党独裁が確立し、ウクライナ全土でソヴィエト政権が堅固になった後、ウクライナの地における政治情勢は、それでもやはり不安定だと見なされていた。主にそれは文化、統治、経済の部門での民族的な制度の出現によるものだった。これらの制度は、外国の政権を受容しないウクライナの農民が構成する多くの反乱グループを放置したままの、前述の長期にわたる民族解放闘争の結果だった。つまり、ウクライナをいくつかの県だと宣言して簡単に廃止することなど出来なかったのである。それは武力衝突や大衆暴動を引き起こしかねなかった。農民たちを服従させるために、ボリシェヴィキによってもウクライナ化政策、つまり（ウクライナにおける）党や機関のウクライナ化と、ウクライナ文化の発達助成の政策が導入された。

しかしまもなくして一九三三年にスターリンは有名な電報を打った。「ウクライナ化を止めろ！」一日にして党機関の全ての事務がロシア語になった。

ウクライナの民衆は一九三三年を、自分たちの歴史の中で最も恐ろしい年として記憶することになった。この年にホロドモール（飢餓による殺害）のピークが重なった。ついでながら、多数のウクライナ人がもっと以前に、一九二一年から二二年の飢饉の年に餓死している。ウクライナの地における飢餓による人々の殺害の第二段階は、一九三二年の四月から三三年の一一月まで続いた。つまり五〇〇日である。一九三三年の春には毎分十七人が、毎時間一千人が、毎日約二万五千人が餓死した。飢餓が現在のウクライナの中央部全体、南部、北部、そして東部に拡大した。

飢餓はクバーニ、北コーカサス、ヴォルガ川流域などの地域でも認められたが、そこにもウクライナ人が住んでいた[18]。

統計学的資料の研究で、殺害された人々の数を表す、ある程度正確な数によって説得力のある主張が可能になるが、その数は三三二万八〇〇〇人、または約三五〇万人と考えられている。また、ウクライナ人だけでなく、ユダヤ人、チェコ人、ポーランド人、ロシア人、カザフ人が餓死したことにも気づく。勿論、一番多く被害を被ったのはウクライナ人である[19]。

このような残酷な政策の主な原因は、再び創られた国家、ソヴィエト社会主義共和国連邦が、工業化プログラムの導入のためにハードウエアを必要とした点にある。作物の収穫に関してさえ総括的な結論は、全てのプロセスを速め、人的労働を削減するであろう技術力を至急導入することであった。食糧は強制的に運び出され、外国に売り出された。得られたお金で国は機械と設備を手にした。

その時代の恐ろしい出来事は、ウクライナの人口にひどい打撃を与えた。実際、その時代に至るまでは、ほとんどの家庭には約七人の子供が居た。つまり、先ず一番に亡くなったのは子供や若者だった。彼らの約三分の一が……食いつくされた。食人の事例は大変頻繁であった。パブロ・ティチナはこの事について次のように書いた。「銃尾でドアをたたく音／ガチャガチャドンドン、窓が壊れそう／さあ、ドアを開けろよ、若農婦／何で家の中に隠れているのさ／胸がドキドキし始めた。辛い……／ああ、胸が張り裂けそう！　私のところに客が来た／でも、何でもてなせばいいというのか／まだ小さな息子は煮えていないのに……」

詩人ヴォロディーミル・ソシューラは子供たちの苦しみや彼らの悲劇を目の当たりにし、苦しんだ。見聞きしたことで彼は危うく正気を失いそうになり、その後精神病院で長い間療養した。失われた命、不具者になったり、怯えきった人々を、ホロドモールの時代はその後に残した。一方、生き残った人達は、その後共産主義を建設しなければならなかった。それは、永遠に独立を希求するウクライナ人の、反抗の意志を壊滅させるための決定的な一歩であったと言える。

一九四八年一二月九日に国際連合は「集団殺害罪の防止および処罰に関する条約」を満場一致で採択し、それは一九五一年一月一二日から発効した。条約の第一条には次のように宣言されている。「締結国は、集団殺害が平時に行われるか戦時に行われるかを問わず、国際法上の犯罪であることを確認し、これを防止し処罰することを約束する」。第二条は集団殺害を次のように規定している。「民族的、人種的又は宗教的集団の全部又は一部を、破壊する意図を持って行われる行為」。破壊とは次の行為のいずれをも意味する。

(a) 集団構成員を殺すこと。
(b) 集団構成員に対して重大な肉体的又は精神的な危害を加えること。
(c) 全部又は一部に肉体の破壊を意図した生活条件を集団に対して故意に課すこと。
(d) 集団内における出生を防止することを意図する措置を課すること。
(e) 集団の児童を他の集団に強制的に移すこと。

フランスの人口学者の計算によれば、ホロドモール（飢餓による殺害）の結果、ウクライナでは一〇〇万人の子供が生まれなかった。当時政府が戸籍登録課に出した、一歳までの子供の死は登録不可という指令も全死亡者数には影響している。この時期に死亡したのは主に子供や若者なので一九三三年のウクライナ人の平均寿命は男性が七・三歳で、女性は一〇・九歳だったと学者たちは結論を出した。どこの国の歴史にも、このような数値は記録されていない。[19]

帝国の末期におけるウクライナの発展

我々はあまりにも強固な経済的基盤をつくったので、そこから経済を移すことは容易ではない。

S・クルィートゥイ

ロシアの大祖国戦争（一九四一～四五年）の間、ウクライナの領土は甚大な被害を受けた。占領の他に、部隊の前線がウクライナの地を二度通り過ぎたからだ。最初は西から東へ、それから東から西へ。従って、全て壊され、奪えるものは全て運び去られた。しかし再建のプロセスはかなり速いペースで進んだ。というのも、ソヴィエト連邦は自国の軍産複合体のためにウクライナの石炭と金属を必要としたからだ。さらに攻撃作戦を可能にするには鉄道網が必要だった。それ故、一九四五年末までにウクライナの産業力は戦前の約三分の一まで回復した。一九四五年にウクライナの境界線も少し変化した。ザカルパッチャとブコヴィナ、ベッサラビアがウクライナに組み入れられた。

ソ連邦における工業化プロセスの再建は、設備の技術面で世界の先進諸国から立ち遅れていたため、いつも遅々として進まなかった。そのような状況は世界市場からの孤立によるものであった。成果は主として安い労働力によって確保された。特にコルホーズでは、高い税金と現物納入義務に反して労働対価は低かった。これが一九四六年から翌四七年にかけてウクライナの住人に新たな飢餓をもたらし、数十万人の農民が命を失った。

一九四八年から四九年にかけて、農業の完全な集団化が急速なテンポで実現された。その手法は一九二九年から三三年の手法と全く同じだった。自分の固有の土地から離れたくない人々、安い労働力になりたくない人々はウクライナ蜂起軍が隠れている森に逃げた。西部の地でのパルチザン活動を鎮圧することができたのは、一九五二年になってからのことだった。

この時期の最も興味深い歴史的な出来事の一つは、ロシア国民の友情の証としてクリミア半島がロシア連邦共和国からウクライナへ移管されたことだった。この出来事は、一九五四年のペレヤスラウ条約三〇〇年祭の豪華な祝宴の時に起こった。ウクライナ人とロシア人の永遠なる同盟の堅固さが象徴したのは、第一にモスクワとの同盟のお蔭でウクライナが手にした優越性であった。しかしクリミア半島の「贈物」という慈善的行動には非常にたくさんの問題があり、それらを解決する方法も複雑であった。

クリミア半島は、スターリンが第二次世界大戦中に追放したタタール人の歴史的故郷であった。そのためこの地域では一九四四年に地域住民の強制退去が原因で起きた経済的混乱が続いていた。従ってそのような状態が生んだ結果は、キーウの予算で改善しなければならなかった。半島の政治状況もまた大変緊迫していた。

人口調査によれば、一九五九年にクリミアに住んでいたのはロシア人が約八六万人、ウクライナ人は二六万人だった。よってウクライナ共和国におけるロシア人の立場は強まった。そして、この圧倒的大多数はウクライナ化の試みに対して攻撃的な態度をとった。経済関係に関して言えば、その地理的位置からしても、古くから築かれた地域的な繋がりの結果、クリミアはいつもウクライナと取引があった。[20]

しかもこの歴史については更に興味深い事実がある。レオニード・クチマ元ウクライナ大統領が自身の著書『マイダンの後』で次のように書いている。「いつの日かフルシチョフの銅像がクリミアに建てられるかどうか、私には分からない。もし、クリミアのウクライナへの移管でのフルシチョフの役割を強調するために銅像が建てられたら、それは政治的には見苦しいものだし、歴史的見地からすれば疑わしい。実際、この件におけるフルシチョフの役割は今日まで確認されていない。関係書類のいずれにも彼の署名はない。私にとってこれは、後でソルジェニーツィンがこの移管に与えたような意味を、一九五四年のソヴィエトの指導者たちは与えていないという確かな証拠である。一方、ソルジェニーツィンが残したものは《ロシアの土地の収集家たち》である」

スターリンの死、そして「個人崇拝」の弾劾の後、ウクライナの知識階級と若者たちはウクライナ語の復活とその差別の撤廃を公然と要求し始めた。モスクワの厳しいイデオロギー統制で貧困になった「ウクライナの独自性」の復権に関するスローガンが広まった。ウクライナ人はウクライナの学問の発達と、ウクライナ文化の名声の向上を求めた。そして一九五七年からは、ウクライナで本質的な変化が起こり始めた。文学や科学、人気のある自然科学、社会科学の定期刊行物の印刷が再開され、その後、サイバネティクス研究所が設置されたが、この研究所によってウクライナは、ソ連邦の中でこの部門における指導的役割を担うまでになった。当時の最新の知識がウクライナ語で広まった。

非スターリン化のお蔭で、数百万人のウクライナ人がシベリアの強制労働収容所から帰還した。しかし一九五六年にウクライナ民族主義者組織の以前のメンバーの公判が行われ、死刑が言い渡された。ウクライナの利益を守るべく過激な行動をとった者を体制は罰した。[21]

ソヴィエト連邦の経済発展の拡大路線はいわゆる袋小路に陥った。七〇年代の終りには「停滞」の時期が始まった。二次的な原料や労働力、新しい設備の創設を生産に引き込むことによって経済は成長に向け舵を切った。しかし生産は科学技術の発展に全く寄与することはなかったし、労働生産性や原材料コストの削減を担保することもなかった。

生産部門の数が急速に増えたので、プロセスの管理を再構築し地方の行政組織に一定の権限を移行させる必要があった。しかし中央集権化された管理政権はその立場を失うことを嫌った。その後、権力の最高峰でも一定の変化が起こった。というのはスターリンとフルシチョフが統治した時代は、オリガルヒ（権力保持者）とノーメンクラトゥーラ（所轄官庁や地方機関におけるこの権力の代弁者たち）との間に質的な差が存在した。ブレジネフの時代にはこの差の段階的な消去が始まった。しかしそれが始まったのは、最高権力の集団機関としてのソ連共産党中央委員会の役割が増大したからではなく、その反対であった。

しかしながらプロセス管理上の失敗はあったものの、ウクライナは経済発展においてソ連邦の共和国中で最上位を占めた。一九六五年から八五年にかけて、共和国における電力生産は二倍以上に成長した。農業はめざましく発展した。ウクライナは全連邦の砂糖生産の半分以上、ヒマワリの種の約半分、果物や野菜の三分の一近くを供給した。ウクライナは穀物をカナダと同じくらい供給し、ジャガイモは西ドイツより多く、ビーツの供給は世界一である。ウクライナではソ連邦の農産物の二三％以上が生産された。

ウクライナの工業はソ連邦の工業生産の一七％を担っている。ウクライナはまた全地球的な規模においても重要な産業地域である。全ソヴィエトの鋼鉄の四〇％、石炭の三四％、鋳鉄の五一％を生産している。ウクライナはＧＤＰにおいてイタリアに並ぶ。ソヴィエトの学者たちが好んで示すのだが、一九七二年のウクライナの工業生産量は一九二二年のレベルの一七六倍である。[22]

勿論、ウクライナの工業は隆盛も衰退も経験した。ブームの時期、五〇年代から六〇年代初頭、一年の成長率が信じがたい一〇％であった頃、ウクライナは全連邦の指標を超えた。しかし七〇年代と八〇年代、成長率が年に二〜三％に落ちた頃は、その工業成長は連邦の平均よりも更に低かった。この減速は、ウクライナに存在した古びた非効率な冶金工業の工場に関係するところが大きく、アメリカや西ヨーロッパの工業地帯とどこか似たものがあった。[23]

農場に対する農民の愛着はどの時代でも現れるものである。「農業従事者たちは、特にウクライナでは、自分の小さな〇・四ヘクタールの宅地附属の耕作地の方に労力を集中させたがった。一九七〇年に農業のこの私的地区は国の全耕作地のたった三％にすぎなかったが、全食肉生産の三三％、乳製品の四〇％と卵の五〇％を供給した。例えばウクライナでは、宅地附属の耕作地は家庭の全利益の三五％を確保したが、ロシアでは二六％であった」[24]。

しかし進行する都市化の結果、若者たちが村から都市へと移住し始める。多くのコルホーズ（集団農場）で残って働くのは年配の女性だけになった。ソヴィエト連邦が存在した最後の一〇年、一九八〇年から一九九〇年の間に経済の歩みは遅くなる。状態を是正しようとして超大国の行政機関は、税制を変えずに利益分配の最適化を図る一連の施策を導入している。当時の税制は経費の厳格な一元的規準化に向かっていたので、それが企業活動を大きく抑制し、効率を上げることへの企業の関心を低下させていた。

このような出来事の後、一九八五年の三月にソ連共産党中央委員会の総会でゴルバチョフが書記長になり、その後ペレストロイカ（改革）と名付けられた国家の新しい方針を宣言する。

しかし新しいシステム導入の未熟さと稚拙さが大国を粉々に崩壊させた。科学的業績、強力な生産複合体、巨大な資源量にもかかわらず、ソヴィエト社会主義共和国連邦は短い期間で世界の舞台におけるその優越性を失った。社会的政治的活動の全ての領域における急激な変化は、その雪崩のような特徴と因果関係の喪失を考慮すれば、国を経済的危機だけではなく、後に政治的危機にも導くこととなった。

帝国崩壊後の変成の過程

何かをデモンストレーションするなら、間違いの数は聴衆の数に正比例するだろう。　N・N

ペレストロイカの過程は仮に三つの段階に分けられる。第一段階は一九八五年から八六年にかけてだが、「社会主義以上」のスローガンのもと、ちょうど人類史上最大のチェルノービリ事故（一九八六年四月二十六日）と重なった。正にグラスノスチ（情報公開）のお蔭で、次第にその恐ろしい結果を皆が知るところとなった。当時ウクライナの国民は、本質的な政治的、経済的及び環境保護の問題を、自分たちで解決する必要性を身に沁みて感じていた。それらの問題は当時、この国の外で扱われていたのだ。

第二段階は一九八七年から八八年で、「民主主義以上」のスローガンのもと、全ての経済改革は完全な失敗に終わった。企業に自主性が付与された結果、利益にならないものを生産しなくなり、不必要なものが生産されるようになった。国民経済の著しい不均衡が起こり、投入される資金はますます少なくなったので、驚くべき赤字となった。危機を止めることは不可能だった。この危機は既にシステム化していたからだ。

第三段階は一九八九年から九一年で、革命的特徴があった。社会は国家権力の事業活動についに介入し、ソヴィエト超大国はその存在を支えていた党と共に崩壊した。このようにしてヨーロッパの地政学的状況は変化し、新しい国々が多く出現したが、その国々の中で一つの重要な地位を占めたのが独立国家ウクライナであった。

国家が社会を支配する全体主義に勝ち、社会が国家を支配する民主主義を確立して、ウクライナは一九九〇年に最高議会メンバーを選ぶ最初の自由選挙を行い、民主主義国家としての一歩を踏み出した。まず第一に国家を象徴するウクライナ人民共和国の国歌の旋律、トゥリーズブ（三叉戟）を描いた国章と青と黄色の国旗を認定した。ソ連のウクライナから形成された国家は、ウクライナ人民共和国の正統な継承者であることを宣言した。

八〇年代末ソ連崩壊直前のウクライナの経済状態は、独立国家としてかなり良い初期状況であった。ソ連邦の二・七%の領土、一八%の人口を持つウクライナは、鉄鉱石の四六・四%、鋳鉄の四一・四%、鋼鉄、圧延製品とパイプの三五%、機械と設備の二五%、砂糖と油を五〇%以上生産していた。[25] しかしウクライナは石油、木材、鉱石など資源の点で枯渇しており、石炭のかなりの部分が「巻き上げられていた」。大多数のウクライナの住民が、独立によって高いレベルの経済的豊かさが保障されることを期待したのは言うまでもない。しかし経済において極めて困難な状態が生じ、生活レベルは下落し続けた。

一九九一年から九二年にかけての生産量と生活レベルの下落は危機的規模となった。一九九一年の国民所得は一〇%下がり、九二年には十四%下がった。工業総生産はこの二年で十三・四%減少し、農業は十八%減少した。一九九二年の一一月にはインフレが五〇%の大台を超えた。[26]

この現象の大部分はロシアが価格の自由化に沿った市場改革を始め、その結果ウクライナでガスや石油の価格が大幅に上昇した（それぞれ一〇〇倍、三〇〇倍）ことに起因する。エネルギー資源の価格の上昇がインフレスパイラルを急回転させ始めた。一九九二年の一年間に貨幣価値は二一倍下落し、九三年には一〇三倍下落した。このような規模のインフレはこの時代、世界のどの国にも見られなかった。他の国々への借金が増大した。一九九一年～九九年の経済危機の数年間にウクライナのGDPは二・五倍減少し、工業製品量はほとんど一・九倍、農業は二・一倍減少した。[27]

科学技術のポテンシャルは異常なテンポで瓦解した。科学への割り当て金が四分の一に削減され、国内の学者・研究者の総数は三分の一に削減されたからである。技能程度の高い多くの専門家が出国した。ウクライナは資格を持つ専門家を毎年約一万人失うこととなった。国連の計算によれば、国が一人の専門家を育てるためには三十万ドルかかる。もし最も有望な若い専門家たちの一〇～一五％が国を去れば、科学の質が低下する過程は取り返しのつかないものになる。しかもその時代には学者・研究者の二〇％が商業組織に移行した結果、国内での「知能流出」も起こっていた。

経済政策を再編しながら、ウクライナは独自の改革の道を歩もうと努力した。それは経済を制御するというよりは、ただ啓蒙的概念の対策を導入することであった。

そのような状況にあって、ウクライナにおける危機の深刻さは、全ての共産主義後の国々の中で最も大きかった。

その後、国内では企業利益構造と企業連携システムが事実上保存されたが、それは「官僚主義的市場」、また世界の先進国の地政学的戦略のダイナミックな革新に固有のものである。

強調すべきは、ごく短期間にウクライナはいくつかの強力な対外的ショックを経験したということだ。それはルーブル域からの退出と、石油やガス、その他の資源供給の新しいシステムの導入、即ち供給システムの分岐と世界通貨への移行などであった。さらに困難であったのは、企業間の繋がりを国内から対外経済へと変換することであった。そして、世界経済市況の厳しい影響の結果、ウクライナのかなりの数の産業が、より正確にはその大多数が、世界市場では競争力がないことが分かった。

以上のようなことから、ウクライナの当局者には国際的な経験の深い分析力と、おかした間違いとその結果の傾向を自ら現実的に評価する力が不足していたことが分かる。戦略的決定は、今に至るまで直観的、あるいは対外状況の影響を受けて、または個人的関心によってなされている。昔からの歴史的な問題である政府と国民の乖離は、今日もウクライナ人を苦しめている。

この九年間、国の経済にはいくつかのポジティブな変化が起こった。二〇〇〇年からウクライナのGDPは段々と成長し始めたが、それは概して言えば建設と機械工業によるものである。実際、二〇〇七年のそのレベルは一九九〇年のGDPのレベルにわずかに近づいた。

第三章　言語の問題

あの時からウクライナは黙っていた。ウクライナの民族性が軽蔑された。モスカーリ（帝政ロシア時代のウクライナ、ベラルーシ、ポーランドで大ロシア人（兵）に対する蔑称）がコサック人に、その頭頂にそり残した房毛から与えた「ホホール」という名前が、馬鹿と同義語になった。ウクライナの詩的な言語は軽蔑と嘲笑の的になった。小ロシア人自身が、自分たちの発音で南の出身であることが分かった時、赤面することも少なくなかった。ウクライナの歴史は、政府の無分別な目的や体裁に合わせて追いやられたり、歪めた形で紹介されたりした。

エヌ・コストマーロフ、一八六〇年一月

ウクライナ語誕生の歴史

国の言語という宝を、言語を豊かにするために一体何度壊したことか。

スタニスワフ・イェジー・レック

現在、ウクライナ語は人口の約七十%の人の母語となっていて、ウクライナと国外で（母語、あるいは第二言語として）ウクライナ語を話す人々は五〇〇〇万人近くになる。国外への移住が進んだ結果、ウクライナ語を話す人々はロシア（ボロネジ、ロストフ州、クラスノダール、スタブロポリ地方、ポヴォルジエ、アルタイ、極東）、ソヴィエト後の国々（モルダヴィア、カザフスタン等）、西スラブの国々（ルーマニア、ハンガリー、セルビア、クロアチア）、また、カナダ、アメリカ合衆国、ブラジル、オーストラリア等々に住んでいる。

ウクライナ語はインドヨーロッパ語族のスラヴ語派の東部グループに属している。ウクライナ語はルシン語（ウクライナ語のレムコ方言から起こっている）と一番近く、このグループの他の言語――ベラルーシ語やロシア語――と音声学的、文法的構造、特に語形変化の形、語結合や文の構造に多くの共通点がある。語彙構成について言えば、ウクライナ語に最も近いのは共通語彙が七五%のベラルーシ語で、次が七〇%共通のポーランド語、スロバキア語、ブルガリア語、六〇%共通のチェコ語、ロシア語も近いといえよう。[28]

ウクライナ語誕生に関する情報には多くの議論の余地がある。主要な説は次のようなものである。

四世紀から六世紀にかけて、仮説に基づく古スラヴ（原初スラヴ）語が崩れて、七世紀に西、東、南、三つの民族言語グループが出来た。その後、十世紀までに古代東スラヴ語が形成されたが、それは多くの様々な方言から成っていた。これらの方言については文献が残っていないので、不確定である。

キーウ・ルーシの国語は古代スラヴ語（古代ブルガリア語）であったが、その後教会スラヴ語になった。十六、七世紀から現代に伝わる祈禱から分かるのは、ロシア語の拡大で現在は失われてしまった二つの標準文章語、古代スラヴ語と古代ウクライナ語が同時に並行して存在したということである。

深遠な歴史研究に没頭せずとも、十一世紀から伝わるウクライナ語の祈禱は、既に基本的特徴がロシア語とは異なると言える。これにはさらに、人類学的にウクライナ人とロシア人は違うと付け加えることもできる。

歴史的には、ウクライナは一六五四年から政治的にロシア・ツァーリ国に従属することとなった。この際、ウクライナ語とその文化の独自性を認めることはロシアにとって不都合であった。それを認めてしまうと別の国だということを認めることとなるからである。従って、ロシアの科学者は「ロシアの数ある方言は元来一つであった」と宣伝し始めた。

このような手法を利用したのはロシア・ツァーリ国だけではない。その後、第一次世界大戦の後に、他のスラヴ語国家の間で言語テロの波が広まった。セルビアはクロアチアを占領し、クロアチア語はセルビア語の一方言に過ぎないと全力で証明し始めた。しかし実際、存在するのはセルビア・クロアチア語だけである。かつてチェコ人は自身もかなり長い間ドイツに文化的、言語的に吸収されていたにも拘らず、スロバキアを占領するとすぐに、ただ一つのチェコ・スロバキア語について新しい学問的思想を創りだそうとした。それどころか、ロシア人、セルビア人、チェコ人はあらかじめ取り決めて手を握り、ウクライナ語、クロアチア語、スロバキア語の存在を共同で否定し始めた。

一連のヨーロッパの学者たちが自国の出版物でウクライナ語の独立性を認めることができたのは興味深いことである。しかし、ロシアの文書で強調されたのは、ウクライナ語はロシアの一方言に過ぎないということだった。

一八五六年にM・ポゴディン教授が言語問題に関する自身の理論を公表して主張したのは、ポーランド人というのは大ロシア人で、キーウ・ルーシへのタタールの襲来で彼らは北に追いやられたということだった。北方の気候条件は大変厳しいので、歴史的に人間の移住は南の方向に向けて行われてきたというのは興味深いが、ここでは反対である。その後この理論は、ロシアとウクライナの研究者によってその誤りを明らかにされた。一方ウクライナ人はウクライナの土地の土着民だと認められた。

二〇世紀の初め、アカデミー会員F・フォルトゥナートフと彼の弟子たちのロシア学派の学説が強くなった。彼らの内の一人、A・シャフマートフは、七世紀に東スラヴ語からウクライナ語、ロシア語、ベラルーシ語が現れたのだが、その東スラヴ語生成の過程に共通の古ロシア語時代があったと主張した。しかし後になって、この理論は非現実的な作り話だと認められた。ウクライナ語とロシア語の源となっているのはやはりスラヴ発祥の地であり、そこから生まれ、それぞれが別々に独自に発達したのだ。[29]

言語科学が証明するところによると、言語というものは均等に、お互いに同時進行で発達するもので、遺伝的に他から他が生まれるものではない。さらにコピタルが一八三六年に自身の著書で書いているのだが、全てのスラヴ語は互いに兄弟であり、互いに独立している。全ての言語は独立しているが、もし近隣の言語であれば、多くの共通点を持ち得る。[29]

ウクライナ語は不幸にも、ほとんど一度も独自のものだと認められたことがない。ウクライナ語はロシア人にはロシア語の方言だと見なされ、ポーランド人にはポーランド語の方言だと見なされた。しかしこれは単に主観的で、しかも政治的な主張に過ぎない。

かくして歴史的にウクライナ語は、言語的に最下等との認識で、優勢なロシア語の仲間に引き入れられた。しかし、ロシア語に堪能でないウクライナ人が、ロシア人よりセルビア人と容易に相互理解に達することができるのは、ウクライナ人がセルビア人に言語的・人種的近さをより感じられるからだということを知っている人は少ない。しかもウクライナ人の古代の祖先は、ロシアの学者ロストフツェフが証明しているように実際、北に移住することを望んではいなかった。「キーウ・ルーシはその先人たちに従い、古代、また民族の移住の時代にその地に誕生した国々に固有な全ての特徴を継承した。つまり、軍事的、商業的特徴、可能な限り黒海に接近する志向、彼らの志向は北や西ではなく、南や東に向かっていた。スキタイ人やサルマート人の文化のように、ゴート人の文化のように、キーウ文明もまた東方の要素が浸透した南の文明である」[30]。

つまり、ウクライナ語は独自に発達したのであって、このことは世界的にも約一〇〇年前から認められている。しかし、一九〇五年には既にロシア科学アカデミーもその「報告書」でウクライナ語は独立した言語であると認めているにも拘らず、ロシアの学者たちは大変長い間ウクライナ語はロシア語の一方言であるとみなしていた。この「報告書」の主張を支持したのは、P・ラヴロフスキー、V・ダーリ、I・スレズネフスキー、F・コルシュなどである。ロシアアカデミーの「報告書」は、ウクライナ語があたかも「オーストリア・ポーランドの陰謀の発明」であるかのような理論を、「無教養、あるいは悪意ある作り話の産物」だと評した[31]。

二〇世紀におけるウクライナの文章語の発達の歴史は、三つの時代に分けられる。第一の時代は一九一七年から二三年でロシア化の時代、第二が一九二三年から三三年でウクライナ化の時代、そして一九三三年から九〇年までは共産化の時代である。

ロシア化の時代の後、ウクライナにおける不満があまりに大きくなったので、一九二三年に共産党は、ウクライナにはウクライナ語がなければならず、ウクライナ化を始める必要があると決定した。これに関して一九二三年の八月一日に特別法令が出された。

「労働者・農民の政府は、ごく近いうちにウクライナ語の知識の普及に国家の関心を集中させることが必要だと認めている。この時までにウクライナで最も広まった二つの言語、ウクライナ語とロシア語の間に認められた公式的平等は十分ではない。ウクライナ文化が全体としてあまり発達しなかった結果、適当な教科書が不足し、十分に育成された人物が欠如した結果、経験が示す通り、生活そのものがロシア語の事実上の優越性を促進する。この不平等を一掃するために、労働者と農民の政府は一連の実際的な対策をとらなければならない。その対策とは、ウクライナの領土に住む全ての民族の言語の平等性を守りつつ、ウクライナ・ソヴィエト社会主義共和国の領土に住むウクライナ民族の人口と比重に相応した地位を、ウクライナ語に保障しなければならないというものである」

三年後、一九二六年にウクライナ共産党中央委員会は補足として更に一つの決議を行った。

「党はウクライナ文化の独自の発達、ウクライナ民族の全ての創作活動を支持するものである。党は発達途上のウクライナの社会主義的文化が、世界文化の全ての業績を広く利用し、辺境にありがちな視野の狭さや隷属を受け継ぐ伝統と完全に決別し、最高クラスの被造物に相応しい、新しい文化的業績を創出することを支持するものである。しかし党はこれを行うにあたり、ウクライナ文化が他の民族の文化に対抗する方法ではなく、ウクライナ労働者階級が自分の寄与分を果たすことのできる、国際プロレタリア文化の建設事業の中で、全ての民族の労働者及び勤労大衆と友好的協力を促す方法をとる」

このような対策は実際、肯定的な結果をもたらした。ウクライナの定期刊行物は八五%がウクライナ語になり、書籍は主にウクライナ語で出版され、演劇はどこでもウクライナ演劇になり、高等教育機関では講座の二八%がウクライナ化され、事務職員はウクライナ語の知識の試験を受けるようになった。しかしこれらの対策がウクライナ軍に秘密の命令が出るのを妨げることはなかった。その命令には「民族的自覚のあるウクライナ人は連隊長以上のポストにつくことはできない」との言及があった。その後、モスクワはウクライナ軍のウクライナ化を全く停止した。

一九三三年にウクライナ化は停止された。一九四六年、全ソ連邦共産党中央委員会は「ソヴィエト文学の創造的改革の方法」について政令を出したが、それは「ソヴィエト文学が我々の英雄的時代に相応しいレベルに達し、社会主義文化の力強い武器であり、共産主義社会の建設者の若い世代の教育の有意義な要素であるように」するためのものだった[32]。

このような「創造的改革」の結実が、ソ連邦とウクライナソヴィエト社会主義共和国で普及する一連の新しいロシア・ウクライナ辞書で、それらによって約半分のウクライナの言葉が、完全に一致するロシア語に訳された。例えば、ロシア語の「ボルト」**болт** はウクライナ語では **болт, прогонич**; ロシア語の「最高の」**верховный** はウクライナ語で **верховний, найвищий**; ロシア語の「砂糖」**сахар** はウクライナ語では **цукор, сахар**; ロシア語の「籠」**корзина** はウクライナ語で **корзина, кошик** 等々。

公式にはこのような事情はウクライナの独立宣言と共に変わり始めた。しかし言語問題は、その政治的志向を考慮すれば、今に至るまで国にとってかなり難しい問題のままである。

国語・他の国々の経験

言語――それは自分の軍隊と艦隊を持つ方言である。

マックス・ヴァインライヒ

残念ながらウクライナ国民は、概して、言語問題の抽象的・政治的状況について十分に考えることなく、母国語としてウクライナ語もロシア語も話す。正にそれ故に、大部分の国民は結果について考慮することなく、思うままに二つの言語を使っている。ウクライナ語の西部地域（ハーリチナ）とロシア語の東部地域（ドンバス）と南部地域（黒海沿岸）といった領土を分割する破壊的な理論が定期的に現れ、ウクライナの地図に目に見えない境界線が引かれようとしている。

抑圧された存在であった長い年月に代わって、ウクライナがようやく自身の独立を守り抜いた今日にも拘らず、この現象が起こっている。従って歴史的経験は教訓にならず、政治的自己中心主義が素人外交と共に言語という最後の切札を切ろうとしているのだ。

国家というものは何よりも先ず、単一の言語、国語によって確定されるということを強調すべきである。言語があって、民族がある。民族があって、国家がある。従って、言語のないところに国家はない。一つの国家の中で、様々な民族のグループ間に人工的に作られた対立によって利するのは、ヨーロッパのまん中にこのような大きな国があることが邪魔になる者だけである。

境界設定や区画、「言語的対立」における「地域の階層分化」や「最大分極化」に向けた革命的スローガンの、正に戦略的志向性についてよく考えなければならない。国の分割論を「僅かな」最初の一手だと軽はずみに受け取らない方が良い。このようにしてウクライナの社会に人工的な対立がしつこく付きまとい、それは国家を破壊するものだと理解することが重要である。領土的分割が招来するのは、以前は独立していた分割地域の植民地化である。[33]

残念ながら、事実の歪曲に基づく宣伝的用語を使った政治闘争は、より文明化した現代の都市の住人と対比させて、ウクライナ語での交流を望むのは消極的で時代遅れの田舎の住人だけだと広めている。

その上、公用語としてのロシア語の地位の実現を支持する人々は、ロシアとの経済プログラムや協力的相互関係の発展を理由にして、ビジネス上の利益や業務関係を主張する。しかし実務上の言語は正に英語の専門用語と米語からの借用語で溢れている。つまり、ウクライナでは英語の地位こそ考えなければならないということを、何故か誰も思い起こさない。

ロシア語を母語とするウクライナ住民は、自分たちが住み、その国民でもあり、しかし既に解釈上ソヴィエトではない国の歴史的経験を認め、その国語を強制的に学習しなければならないので、自分たちの権利が制限されるという思いに絶えず苛《さいな》まれている。ここで特徴的なのは、全てのウクライナなるものに対する共通の敵意で、しかもそれはしばしば大変侮辱的な形をとる。

ロシアでもポーランドでもなく自らをウクライナと宣言した国は、実は、世界という檜舞台で自らの独自性と民族的業績を掲げつつ、自らのアイデンティティを示すことさえできていないということが明らかになった。そのような自尊心の内的喪失は、反対に自らの大帝国を誇り、以前のようにウクライナを小ロシアと見なしている野心ある隣国ロシアの破壊的で慇懃無礼な態度の結果である。

もちろん、ウクライナ語と同等にロシア語に公用語としての地位を与えることは、一時的に対立を除くことにはなる。しかし将来を考えれば、否定的な結果をもたらすことは明白である。しかもそれは領土的分割をも、もたらすことがあり得る。

いくつかの言語が同時に公用語と認められている国もあるが、それらの国の経験によって、マスコミで肯定的に取り沙汰されている例は、特殊な経緯を持つウクライナに当てはめることはできない。しかしこの特殊性はウクライナだけの問題ではない。

公用語を併用する国のリストの最初にあがるのはフィンランドとアイルランドである。フィンランドに関して注目すべきは、フィンランド人とフィンランド系スウェーデン人の間にある全ての対立は、二つの公用語を導入することでけりがついたと思われていることである。しかし実際はそうではない。フィンランドにはもともと何の対立も無かったのである。少数派のスウェーデン人はオーランド諸島に住んでおり、フィンランドの全ての中央地域はフィンランド語を話している、つまり完全に住み分けているのだ。

アイルランドの状況は、より複雑になる。一九四九年に英語が第二公用語の地位を認められた結果、今日、民族の言語（アイルランド語）が堪能であるのは南アイルランドの人口の四〇％だけである。現在、国家が民族の言語であるアイルランド語の復活にかなりの資金を使っており、将来においてこの数字が減少してはならない。国家の公的部局でのアイルランド語の普及を支援し、地域や居住区、通りのアイルランド語の名称を承認することを主な目的に新しい法律が導入されている。アイルランドでアイルランド語の保護と普及に携わっている専門の言語組織は、国立の組織もあればボランティア組織もある。それらはアイルランド語の発展を支援する私設のボランティア組織を、全国に創設している。[34] このような改革は将来において国民のアイルランド語での交流を復活させるに違いない。これに付け加えても良いのは、アイルランドは八世紀以上イギリスの支配下にあったので、英語を使ったが故の一連の信仰的、民族的、歴史的、政治・経済的な様々な要因の存在を確かめることができるということである。また英語が支配的言語になったことは、ほとんど自然な現象である。しかしそれが、民族の言語の保護に向けた一連の法律を政府が採択する妨げになることはなかった。

ベルギー、ルクセンブルグ、スイス各国はいくつかの公用語を持っている。しかしそれは何世紀もの間存在している歴史的事実で、その間、様々な民族グループに属する住民たちがその地域に分散居住した結果、また、これら先進諸国の法的支援により、どの言語も支配的言語にはならなかった。こういったシナリオはウクライナにはほとんど不可能である。何故なら、潜在的にウクライナ語の絶滅を促進するであろう多くの政治的、法的、文化的見解があるからだ。

その上、ウクライナを二言語の国に変更する必要性をウクライナ人に説得する人たちは、独立して間もない国の民主主義の原則を引き合いに出すが、次に挙げるようなことには全く言及しない。例えば、フィンランド人は自国内でスウェーデン語を全く理解したがらないし、フランドル人はベルギーでフランス語への愛情を抱くことはない。またケベック州は独立国になることを絶えず希求している。

このように、一つの国家での二つの言語の普及は、不安定な均衡状態を誘発し、その結果として一つの言語の他への拡大、あるいは使用言語による国家の分裂といったものが起こるかも知れない。よって、一つの国に言語が二つある状況は、それ自体、不自然で不安定で、危険で破壊的でさえある。そしてその状況の特徴は、言語の調和的相互作用ではなく衝突や戦いであり、それはその領土で一つの言語が勝利するまで続く。

以上のような傾向を考慮して、一連の国家は国の言語空間を大切に保護している。

例えばラトビアでは、約半分の国民がロシア語を母語としているにも拘らず、絶対的なラトビア語支持の政策をとっている。ラトビアの隣国のリトアニアも国の言語の復活を宣伝している。これに基づき一九九五年には「国語について」の法律と、「リトアニア共和国の国語に関する法律」を生活に根付かせる法律が採択された。その中には国語を使用する基本的領域が示され、国語の保護と管理、さらに法的責任が規定されている。

リトアニア共和国政府は一九九六年から二〇〇五年にかけての国語の使用と発展プログラムを承認し、毎年このプログラムの実現に資金を割り当てた。一九九五年には二つの機関、リトアニア語国家委員会と言語監査が一つに統合された。リトアニア共和国の行政罰法典は行政的強制力の手段として、警告と罰金（二五から五〇〇米ドル）を規定している。国語の不使用に対して罰金が規定されているのは国内の印刷物や記入用紙、看板、商品の目録、職務遂行、事務作業であり、また、国語でない言語で書いた書類の提出、テレビ・ラジオ番組、映画やビデオでの国語でない言語の使用、リトアニアの地名の正しい表記の不使用、リトアニア語国家委員会の決議の不履行に対しても罰金が規定されている。[35]

同じくノルウェーでも純正なノルウェー語を目指して熱心に闘っていて、米語からの借用語の国語への侵入を丹念に追跡している。ノルウェー人は自分たちの「最も音調の快い」言語を大変誇りに思っており、概して民族的独自性をとても大切にしていて、それによって本質的に自国を強化しているのだ。

また基幹民族の言語の保護はフランスからも学ぶことが出来る。一九九四年八月四日、フランス国民議会と元老院が法律を承認した。その法律の中で、現代の先駆者的民族によってつくられた国家が想起させるのは「国語としてのフランス語は、憲法によれば、フランスの独自性と民族的財産の重要な構成部分である……フランス語の知識と他の二つは教育の基本的な目的に含まれる」。この法律に違反した場合は九〇〇〇米ドルの罰金、または六カ月の禁固が科される。[36]

このように市場経済の国際化の時代において、文明国の国民は自らの民族的独自性、民族的教育、国語を確立しているのである。フランス人はずっと以前から次の不滅の真理を確認している。一つの国民が他の国民から尊敬されるためには、何よりも先ず自尊心が必要である。フランスの国会で議員たちが理解したことは、もしフランスが英語の語彙で言葉を汚すことなく、自国言語の独自性の保持に努めるなら、フランスは今後も偉大な大国として残るだろうということである。

素晴らしい偉業を成し遂げたのはイスラエル人で、彼らは二〇〇〇年間、死語とされてきた古代ユダヤ語（ヘブライ語）を歴史的に短い期間で日常言語に復活させた。たった五十年前、現在の単一の国語であるヘブライ語が堪能であったのは、ほんの一握りの人たちだけであった。

このように現在のウクライナで、文化的ではあっても内戦に似た状況を作り出す必要はない。しかもこれは反ウクライナ、反ロシアに関わる。認識しなければならないことは、国のどこで戦略的に重要な出来事が起こり、それがどのように生活のレベルに影響しているか、その一方、経済的、立法的過失を覆い隠すために、民族的同一性や民族的自覚の領域の概念が、どこですり替えられたり人為的に悪用されたりしているかということである。

ロシア語を母語とする人々もウクライナ語を母語とする人々も、大きさにしても経済的能力においても大きな国に住んでおり、将来の発展を保障するために政治的思惑からその国を守らなければならない。しかし言語的衝突を口実にした今日の活動は、ウクライナ国民が自国において第二義的だという事実を強調するだけで、主として、政敵を利する余計な衝突を作り出す方向に向けられている。しかし実際ウクライナは、その経済的・地理的地位によって効果的な改革プロセスを安定化させる全ての推進力を持っており、それによってもっとも豊かな大地の経済は将来、自国民の国内での自由を保証する重要な鍵となるだろう。

偉大なロシア文学について言えば、ロシア語で書かれた本を原書、つまりロシア語で読むことを、誰もロシア文学ファンに禁じてはいない。ついでながら、シェークスピアの『ハムレット』も翻訳で読むよりは原書で読む方がより感銘を与える。聖書もヘブライ語で読むと、様々な言語に訳されたものとは違って心により深い足跡を残すと言われている。

第四章　ウクライナにおける教育

脈絡のない知識で一杯になった頭は、全てが乱雑に押し込まれ、主自身が何も探し出すことができない物置に似ている。システムだけあって知識のない頭は、全ての箱に中身の表示があるのに箱が空っぽの小さな店に似ている。

K・D・ウシンスキー（ロシアの教育学者、ロシアにおける教育学の創始者）

ソ連邦の教育制度の堅実主義

もし自分の頭に財布の中身を撒き入れたら、もう誰もその中身をあなたから奪いはしない。

ベンジャミン・フランクリン

ウクライナの教育の歴史はウクライナ国民の歴史的発展と密接に繋がっており、同じく劇的である。多くの複雑な歴史的事象にも拘らず、ウクライナ人はいつも学問を希求してきた。もちろん、特別な事態、歴史的事件、国民の一定の層の社会的・金銭的能力によって状況は変わる。しかし概して、ウクライナではいつも読み書きの問題に大きな注意が払われてきた。

歴史的変化の大きさを考慮すれば、現在のウクライナ領土内における教育制度が受けた破壊と改造は少なくない。その中で最初のものはタタール・モンゴル侵攻の年月に起こり、その時、まだキリスト教以前の、異教時代のルーシに起源をさかのぼる学問的業績が破壊された。

本当のところ、その時代の教育はまだ構造化も体系化もされておらず、教育的機能を果たしていたのは主にビザンチンや西ヨーロッパからの放浪者や教会勤務者たちであった。

コサックの時代に教育には特に注意が払われた。ほとんどすべてのヘトマン（コサック軍の頭領）は教養の高い人達であった。しかしヘトマンの統治制度が撤廃された後、独自の学校制度も絶滅してしまった。その制度は一六、七世紀には既に、この地域のほとんど全ての住民の読み書きの能力を保障していた。

その当時、学校と教師への崇敬は驚くべきものだった。ウクライナでは生活条件が耐えがたいものになった時でさえ、読み書きへの願望は強かった。その一例となり得るのがシェウチェンコの詩「フクロウ」であろう。一人息子と共に貧しい生活を送っていた未亡人が、光明の見えない赤貧の中にいても、やはり……

「朝も夜も働いて人頭税を払った／息子にも干し草の山三つで上衣を買った／未亡人の息子が学校に通えるように／未亡人が待ちに待った時が来た／息子が学齢に達する時が／読み書きができて美しい我が子／美しい花、我が子よ！」

現代にまで伝えられている興味深い文献となっているのが、ウクライナの教師・聖職者の自分の生徒に向けての規則・指示である。[37]

・学校に入ったら、皆がお前を褒め、教師も愛してくれるように、お辞儀をしてすべて余計なものは片付けなさい。
・小さい頃から怠けずに学問に励みなさい。若い頃に学んだことは、老いてから役に立ちます。
・先生のお話をよく聴いていれば、先生からたくさんの知恵が学べます。
・つまらぬおとぎ話ではなく、学んだことを話しなさい。
・悪いことを唆す者にいつも気を付けなさい。そういう者のせいで争いは起こります。
・自分の家に帰ったら、皆にちゃんとお辞儀をし、全てを元の場所に片付け、学んだことを話しなさい。

・一人一人に、それぞれの幸福を願いなさい。

指導者の役割は多くの場合、キーウ・モヒーラ学校の生徒や学生が果たしたが、この学校は後にアカデミーとなった。旅人・教師の中には四半世紀教鞭をとったグリゴリー・スコヴォロダーも居たが、彼はコサックの息子で優れた哲学者、詩人、啓蒙家であった。

他の優れた教育及び教育的思想の活動家の中で特筆すべき人物と言えば、ペトロ・モヒーラ、フェオファン・プロコポーヴィチ、コンスタンチン・ウシンスキー、ボリス・グリンチェンコ、イヴァン・オギエンコ、グリゴリー・ヴァシュチェンコ、ソフィア・ルソヴァ、クリスティーナ・アルチェフスカヤ、ヴァシーリー・スホムリンスキーなどを挙げることが出来る。

一七、八世紀にウクライナでは多数の啓蒙機関が発足する。その中には府主教ペトロ・モヒーラに敬意を表して名付けられたキーウ・モヒーラ・アカデミー、後に高等教育機関となるキーウの中等学校、ハリキュウ国立大学がある。また中等、高等学校を統合した特権的教育機関もある。それはクレメネツキー・リツェイ（男子貴族学校）、リシェリエフスキー・リツェイ、アレクサンドル・ベズボロドコ公の高等教育中等学校である。一八三四年にキーウ大学が開学した。

大変多くの女子教育機関がハリキュウ、ポルタヴァ、オデーサ、ケルチ、キーウに発足した。一八六五年からオデーサのノヴォロシースキー大学が講義を開始した。一八七〇年にチェルニウツィで男子教師養成の中等学校が開校し、四年後にチェルニウツィ大学が創設された。

一九一七年から二〇年にかけての共産主義革命の後、ウクライナの教育制度の三回目の改革の試みが始まった。しかしこの改革は、共産主義的プログラムを社会生活に定着させるため、若者をイデオロギー的に教育する志向を伴っていた。
革命後二〇年の間に一五〇以上の高等教育機関が創設された。第二次世界大戦中にそれらは全てソ連邦の東の地域に疎開させられ、教育機関としての機能を続けることが出来たのは、ウクライナの占領された領土が解放されてからである。その後、ザカルパッチャ併合の結果、ウクライナの一五四の高等教育機関にウジュホロド国立大学が加えられた。
一九五〇年から六〇年にかけての教育制度、その教育プランやプログラム、また質的な専門家養成の改善の結果、高等教育機関の統合が起こる。かくして、ウクライナの学生数が二〇万一五〇〇人から四一万七七〇〇人に増加すると同時に、高等教育機関の数は一六〇から一三五に減少した。これと共に起こったのがウクライナの教育機関の生産への関与で、その構造が改善され、人員養成の重複が排除され、地方に新しい教育機関が開設され、新しい医科大学が創設された。概して国内各地での高等教育機関の設置が、高等教育による全州の住民の完全な把握を促進し、教育環境条件を未来の専門家の労働環境条件に近づけた。高等教育の主な中心地はハリキュウ（二四機関）、キーウ（一八機関）、オデーサ（一六）とリヴィウ（一二）である。[30]
ソヴィエトの教育の質については現在多くの論争がある。しかしやはり強調しなければならないことは、大変短い期間でソヴィエトは世界で最も強力な工業国になったということである。この事実から、当時の根本的で良質な教育の存在と、その堅固さや有効性が認められる。ソ連邦の学校のカリキュラムは入念に考えられたもので、全体として教師の独創性と生徒の高い知的能力を目標としている。

自ら固有の経済を創設する必要性を考慮し、ソヴィエト国家は最も質の高い科学・技術分野の専門家養成という課題を見事に成し遂げ、正にそれによって国家の防衛能力を保障した。既に六〇年代には、ソ連邦の専門家養成制度は世界で最も優れていると認められた。ついでながらこの事実によって、数多くの国々が自国の教育制度を見直さざるを得なくなったが、その中の一つが米国で、一九五七年にソ連邦によって打ち上げられた最初の人工衛星に全ての米国民がただただショックを受けていた。

米国は何をソ連邦から取り入れたか。先ず第一に、統一された義務教科のリスト、精密科学のより深い研究、学校やカリキュラムを管理しているソヴィエトの地方会議及び州の会議を手本として、全ての大都市や州に然るべき教育課を創設することであった。

ソヴィエトの教育の本質は、第一に集団的形態で行われることにある。つまり、生徒の教材の習得を教師だけではなく、より能力の高い生徒も社会的地位とは関係なく助けるということだ。第二に、カリキュラムに導入されている全ての教科の教科書において、教材の質の高さと入念な仕上げに目を止めるべきである。

ソ連邦における基礎教育の平均レベルはかなり高かった。また極めて効果的であったのは才能のある子供たちの発掘と、それに続く高等教育や学問的活動への選抜である。もし生徒にカリキュラムを十分に習得する能力がなければ、その生徒には職業教育の専門学校や技術学校での学習が勧められた[38]。

高等教育機関での科学者、学者の養成は特別であった。製造現場や研究所での実習を伴う講義が大変重要な役割を担っていた。科学や技術の発達に対する国家からの包括的支援が本質的な成果をもたらした。学生たちは学業の最初の年から自分たちの研究を広げ、より完全なものにし、自分の学問研究を卒業証書取得作業の形で発展させていった。それらは高等教育機関卒業の際には学位論文の研究でより完全なものになる可能性があるので、科学や技術におけるイノベーションの発達に大きく寄与した。科学研究機関が様々な形で科学の発達を促進したが、残念ながら、それらのほとんどは今はもう稼働していない。

世界の教育制度

どこがより良いのか「ここかあそこか」は、質問が出された場所による。　シモン・モイセーエフ

自国の教育制度の形成や構造を理解するために、伝統的に世界に存在する教育分野での基本的傾向を知ることは重要であろう。

一般的に世界の教育制度は二つの傾向に分けられる。仮にそれを西洋方式、東洋方式と名付けよう。いわゆる西洋方式は英語を話す国々、米国、カナダ、オーストラリア、ニュージーランドで機能している。ここでは学習への個人的アプローチが主流を占め、学校は教育的機能だけでなく、というより社会的機能を果たしている。それに対し家庭は物質的幸福の担い手であり学習過程には影響を与えない。[39]

東洋方式はアジアの主要な国々で機能していて、グループの原則に基づいている。教育プロセスにおける重要な支柱は学習教科で、社会的訓練は家で両親によって教え込まれる。

ヨーロッパではこれら二つのシステムから最も良いものを取り入れ、独自の教育発展の道を築こうと努めて来た。しかし選択の基準が自由であったため、何も新しいものを作りだすことが出来なかった。従って、例えばスイスや英国では、学校は西洋方式の原則で機能しているが、ドイツでは東洋方式の原則で……といった状態だ。

ついでながらドイツでは、マカレンコを問題児の教育における最良の専門家だと認め、教育機関は大変長い間マカレンコを研究していた。最近、国のほとんどすべての学校で未成年者の犯罪の問題があるので、ドイツの教育省は海外の教育専門家の経験に基づいた新たなプログラムを導入せざるを得なくなっている。

教育の西洋・東洋の傾向に興味深い評価を与えたのは、アメリカの学者ハロルド・スティーブンソンである。全世界の教育制度を一〇年間研究した彼は、特に東洋のシステムの基盤となっているソ連邦の教育制度が世界で最も効果的であるという結論に達した。このシステムで教育を受けた人々が「頭脳流出」という形で西洋に行き、技術や医学の発達の分野で西洋の再建に大きく貢献した。それ故、一九九〇年代の始まりと共に全体主義の崩壊の波に乗って、ソヴィエト後の国々に西洋の教育制度の要素が持ち込まれたのは大変奇妙なことである。ついでながら、それらの要素はほとんど根付いていない。

ソ連邦の崩壊の後、学者たちは中国、日本、そして米国の学校教育の研究に注意を集中し、一九五〇年から六〇年の中国の学校が、ソ連邦の国民教育制度の完全な模倣であるという興味深い結論に達した。

一九七〇年から八〇年にかけて米国の教育制度は危機に瀕した。本格的な財政投入にも拘らず、読み書きができない生徒の割合は減らなかった。アメリカは当時、知的輸入国としてアジアから核となる専門家たちを得ていたので、スティーブンソンはアジアの学校の試みを研究し始めた。

研究の過程で中国人、日本人、アメリカ人は就学前には実際何も異なるところはないということが分かった。彼らの知的レベルはほとんど同じである。しかし一年生の中で最も賢く、より訓練されていて、自立していて、より団結しているのは中国の子供たちだった。[40]

アメリカ人とアジア人の小学生の差は五年生になるとより拡大した。数学の分野のテストの資料によると、中国人と日本人はあまりに抜きんでているので、彼らの中で最も成績の悪い者でさえ、最も成績の良いアメリカ人と同じレベルだった。

つまり、これは生まれつきの能力やある特定の民族の科学の才能の問題ではなく、教育プロセスの編成の問題なのだ。

最も興味深いのは、学校設備をどうしようと、放課後の子供たちの食事や余暇をどう調整しようと、学力のレベルは向上しないということだ。判明したのは次のことである。アメリカの教育制度においては、社会や国家の中に学校での良い成績に対する尊敬が欠如している。米国と違って例えばソ連邦では、様々なスローガンを使って生徒の潜在意識に影響するイデオロギーを植え付けていた。これらのスローガンによって生徒は皆、国家の発展に自分が参加していると、それなら自分の行動に責任を持とうと感じるようにさせられた。スローガンのいくつかを思い出してみよう。

「我々にとって学校での勉強は重要な仕事である。品質マークは優良の証である。第一〇期五ヶ年計画の達成が我々に求めるのは、高く確かな知識である！」または、「僕はピオネール（ソ連の子供の組織のメンバー）。ソ連に住んでいる。五段階評価の最高点五をたくさん貰うように勉強するよ」

このようにして、国は君が良い成績をとるのを見守っているし、君の良い評点の一つ一つが国の発展のためになる……という印象が出来た。今日、そのような状況が維持されているのは中国、日本、台湾やインドである。だから、そこの子供たちはアメリカの子供たちより良く勉強する。

教育に関してアメリカ社会で好ましくない要素がまだ二つある。アメリカの親たちが関心を持つのは、何よりも先ず自分たちの子どものスポーツでの成功、決断を下す際の自立と自主性である。一方、何らかの新しい制度を、社会は必要のないものと判断する。何故なら彼らのシステムは世界最高のもので、どんな変更も必要ないと皆が確信しているから。

家庭と学校の相互関係、そして親たちは自分の子供の学習過程にどんな意義を見出しているかに関しても興味深い結論が導かれた。

子供たちが自分の部屋を持っているアメリカ人家庭の六〇％で、子供の勉強机がないことが分かった。親たちは勉強机は必要ないと思っている。子供は学校で勉強しなければならないが、家は寛ぐべき場所だというわけだ[40]。

一方中国では、生徒のために家で全ての環境が整えられる。窮屈な環境に住む家庭では子供がちゃんと勉強できるように、他の家族は外出したりさえする。ここで再びソ連邦を思い出してみよう。ソヴィエト政権は、国家形成における大きな問題や、その経済的後進性にも拘らず、文盲一掃に最も力を注いだ。

更にいくつかの違いがある。アジアの家庭では社会で生きていくための躾や実際的能力を子供は家で学び、学校では知識を習得する。アメリカ人たちはその反対である。学校は子供たちに何よりも先ず社会的役割を教えなければならないと、親たちは考えており、アメリカの学校では知識を犠牲にしても、正にこのことに最大の注意を払っている。

このように家庭は、東洋の場合には子供の社会的・道徳的基盤、拠り所として登場するが、西洋の場合では物質的幸福の中心として登場する。ついでながらこれは、アジアの国の人々の親に対する尊敬の理由であるし、反対に、米国における世代間のことさらな分断、冷たい関係の理由である。

この他に、アジアの学校では生徒が二人ずつ、三人ずつで坐る大きなクラスで勉強し、教師は皆に課題を与え、生徒たちは皆の前で答える。つまり、学習システムがグループ学習である。アメリカの学校では生徒は一人ずつ坐り、課題はしばしばテストの形で個人的に与えられ、しかも最も成績の良くない生徒には簡単なテストが出される。ここではその子を侮辱しないように、嘲笑されないように、心理的トラウマを与えないように、子供の心理保護の要素が考慮されている。

スティーブンソンの考えでは、このようなアプローチは子供の競争心や学業における向上心を奪うが、それに対しグループ学習では、競争心や向上心に加えて、生徒はより速く社会生活の環境に順応する。現代の専門家たちは、東洋と西洋の教育制度の融合は不可能だと指摘している。それらの教育制度を利用している国々の社会的・政治的機構を考慮すれば、各々の教育制度は別個のものであり、自己完結的である。

ウクライナこそ、国家発展の戦略に向けた自国の育成・教育産業によって、自らの位置を確定しなければならない。それが不可欠であるのは、何よりも先ず、より強力な国々の資源供給国となって、国が自らの科学的、さらには生産的潜在能力を失わないようにするためである。教育改革は経済成長の真の支柱であり、国民の生活レベルの向上を促進することが出来るであろう。

教育改革の必要は明らかであるが、それは改良のためであって、改悪のためではない。

現代の教育の質の低下と瓦解の方法

如何なる再編成も破壊の段階を通る。

タドウ・コタルビンスキー

現在のウクライナの教育制度は、I～IV認定レベルの九七九の高等教育機関（中等専門学校、中等技術学校、カレッジ、単科大学、アカデミー、総合大学）からなる。

I～II認定レベルの高等教育機関網には六六七の教育機関があり、全部で五二万八〇〇〇人の学生を有する五九三の国家所有形態の高等教育機関もその中に含まれる。

Ⅲ〜Ⅳ認定レベルの高等教育機関網には、二二三の国家所有形態の機関を含む三三〇の機関がある。その中には一〇六の総合大学、五九のアカデミー、一五〇の単科大学が機能している。国立のステータスは六〇の総合大学とアカデミーに付与されている。総合大学、アカデミー、単科大学では一四〇万三〇〇〇人の学生が勉強している。彼らの中で高等職業教育を受けているのは十七歳から二十四歳までの一〇八万六〇〇〇人の学生で、全学習者の九〇％にあたる。

　教育の管理は国家の管理機関と公共の自治機関が行っている。国家の教育管理機関[41]に属しているのは次の機関。

・ウクライナ教育科学省
・教育機関を管轄しているウクライナ中央行政機関
・ウクライナ高等認証委員会
・国立認定委員会

　科学発展の財政的・立法的支援が欠如しているため、近年ウクライナは世界市場で技術や知能の活発な供給国となっている。それどころか私たちの国家は「頭脳流出」の形で全く無償で提供している。結果として損害を被っているのは正にウクライナなのだ。

　ウクライナは次のような研究開発で世界的に有名であるが、この事実を知っている人は少ない。発明や開発の一例をあげれば、シンチレーション材料、医療用断層撮影のガンマカメラ、税関の検査用透視機器、サファイア結晶に基づいた医療用移植体や専用器具一式、多目的用途の染料や蛍光剤、様々な材料開発のための専門器具、超音波やレントゲンの医療診断装置である。しかも、我々の科学技術開発の一部のものは、多くの場合、世界の最良の類似品の性能を凌駕している。世界に類似品が全くない科学技術開発もある。これら全ての業績はウクライナや他の国々の特許権によって保護され、広く世界に知られており、このことは海外の主要企業との多数の契約が証明している。[42]

明らかに我々はソヴィエト時代の遺産と関係がある。革命の破壊的結果、国内戦争やら大祖国戦争やら、福祉の成長など全く期待できなかった時代を除いて、ただ、ソヴィエト時代の科学に対する堅実な取り組み方と教育のお蔭で、短期間で、ソ連邦は米国に続く二番目の国になった。

このような堅実な取り組み方を放棄する必要はない。世界の様々な国々で、教育制度は正に自国の文化的・社会的経験に依拠している。もちろん、ソヴィエトの教育制度を批判する人々は専門家の人材数が不均衡であったこと、それと共に技術が未完成であったこと、つまり、国家が自国の科学的潜在能力を実現することが出来ず、結局はそれが経済や工業生産関係のアンバランスを引き起こしたと主張している。しかしながら、当時のスペシャリストの科学的な養成は、崩壊後のものよりはるかに質が高かった。

海外スタンダードの教育への急速な導入は、今のところ、ウクライナの高等教育の分野で質の低下現象が起こっていることを、ただ如実に物語っているだけである。そしてこれは、科学への予算支出の削減と共に起きており、先進国においてはその予算支出はGDPの三〜七％であるのに、わが国では〇・三％の低さである。

しかも、現在のウクライナの公式データによれば高等教育機関の学長のほぼ四二％、講座主任の三〇％以上、教授の五四％が年金受給の年齢である。ここ何年かの間に幾つかの講座は三〇％から四〇％の講師を失ったが、彼らの大多数は修士や博士で、教育制度に見切りをつけ、様々な理由や状況によって他の活動分野に移っている。

ウクライナにとって本質的な問題は、教育の質を監視する有効な制度や厳しい国家規準がないことである。教育機関のライセンス交付や正式認可の過程がかなり買収された結果、質の良くない多くの私立高等教育機関が出来たが、それらは誰にも必要とされない、いわゆる「専門家」を量産している。[43]

ここに関係するのが偽造された卒業証書の流布で、時には初お目見えの専門家が、いかなる高等教育機関にも全く通うことなく、かなり手頃な価格で、欠くことのできない「ハードカバーの卒業証書」を手に入れ、それによって就職する。もしそれが医師免許の話であったら悪夢である。ついでながら、医師免許は最も高価で取引されている。

重要なことは、卒業証書を注文するのはかなり容易だということだ。ウクライナのサイト **dip-master.com.ua** で、どんな職業でも、どんな資格でも、学位でさえ様々な種類のウクライナの卒業証書が喜んで提供される。その上、価格はかなりお手頃だ。平均して新しい型の卒業証書は八〇〇米ドル、修士の学位が一万二〇〇〇米ドルだ。古い型の卒業証書ならもっと安く三〇〇米ドルになる。総合的なサービスも注文できる。学長事務局の報告書への成績データ付の卒業証書で、卒業論文の指導教官の本物の署名も含まれていると、二〇〇一年には既に五〜八〇〇〇フリヴニャ（一フリヴニャは約四円）であった。最も安い受講契約料より安いのである。[44]

残念ながら、雇う側の中で詳しく書類を調べる人は少ない。一方、司法機関には「刑事事件告発のための根拠がない」ため問題を処理する能力がない。いわゆる刑事教育訴訟を否定しながら、学長たちは自分たちの高等教育機関を擁護している。何にせよ、そのような状況が勢いを増し、一人一人の卒業生について彼が実際に高等教育機関で勉強したかどうかの調査を実行することは非現実的である。

このように、教育改善の問題はおおよそ国政の機関及び立法の機関次第であることを認めなければならない。さらに、将来世界と統合できる新しい独自の制度を創設する変わり目にあって、ウクライナは何よりも先ず、他国の利益ではなく、自国の利益を考慮しなければならない。

その哲学的・文化的伝統において、また目的とするレベルや質的状態において全く多種多様であったとしても、個々の国々の教育制度はやがて共通の全世界的教育制度へと形を変えて行かなければならない。しかしそのような全世界的教育動向が前提とするのは、世界における共同の組織の存在だけである。必要なのは科学的なアプローチと伝統的業績、民族的歴史的経験・そして個々の国々が別個に持つメンタリティの保存である。

この説に反して、ウクライナは今のところ、自国には効果を期待できない他国の経験を取り入れようとしているだけだ。そして二〇〇五年の五月にノルウェーの都市ベルゲンで、ウクライナは公式にボローニャプロセスに加わったが、その主たる目的は二〇一〇年までに欧州共通の高等教育圏を確立することである。このプランに従って参加国は、二〇一〇年までに次の三点を促進するために自国の教育制度を変えなければならない。

一、欧州高等教育圏で今後の学習、あるいは就職の目的を持つ市民の移動を容易にする。
二、欧州の高等学校の魅力を高める。
三、欧州の拡大と、安定していて平和で寛大な社会としての今後の欧州の発展を保障する。

かくしてウクライナは一致した基準、規格、評定表の制度に沿った高等教育の構造改革を実現する可能性を与えられた。この構造改革によってウクライナは欧州の教育・科学界に承認された一部になれるかもしれない。

しかし、ボローニャプロセスは、様々な国々で全く同一の制度を創設することにその目的があるのではなく、様々な教育制度間の相互理解の強化と改善だけを使命としているにも拘らず、結局、ウクライナでは教育制度にかなり深刻で否定的な変化が起こっている。すなわち、講義時間が短縮され、新しい評価制度が導入され、それと共にテストによる試験制度が作られている。将来の学士・修士制度には議論の余地があるが、おそらく、少なくとも修士の学位を得るための有料教育を招くだろう。

つまり、短期間で超大国を築いた基礎となった講義による教育制度が蔑《ないがし》ろにされ、学生の自覚に基づくいわゆる個別方法のテストによる教育制度が採用されている。この制度が「個別」と呼ばれているのは、このような制度の下では、学生は面接指導の時しか講師の助けを得られず、自分自身で知識を獲得しなければならないからである。

ボローニャプロセス理論に立脚すると、このようなアプローチだけが物事を決断し、それに対して責任を持つ技能を備えた意識の高い市民、機動的な専門家、競争力のあるスペシャリストの育成に寄与することになる。最も重要なのは、国際機関のかなりの部分がこのプロセスの理念を支持し、その実現に協力しているということだ。今日、ボローニャプロセスはウクライナを含め四五の国々が加盟している。

しかし、ボローニャプロセスに基づいた知識の検査の手段であるテストは、ウクライナの高等教育機関の多くの講師に大きな疑念を抱かせている。

テスト制度は、高い質を保持し、公式に認可されたものであれば、肯定的な結果をもたらすことも可能だ。しかしテスト制度を、講義による教育制度や、出された質問に対して完璧な答えを要求する伝統的な試験と比べることはできないだろう。

例えば、歴史上のケースを見てみよう。十九世紀末の有名な発明家で「ジェネラル・エレクトリック・カンパニー」の創設者の一人であるトム・エジソンと、優れたエンジニアで他に劣らず優れた創始者であるヘンリー・フォードは、若い頃から数十年の長きにわたって親しい関係であった。

ある時エジソンは、「才能のある若者」が自分の能力を見つける手助けをするために、未来の「エジソン」を発見する目的でアメリカの生徒たちにクイズを行うことを決めた。ある日、エジソン宅を訪れたフォードは、このクイズの質問を知って、それらの質問のほとんどに自分は答えることができないと白状した。しかも、もし何らかの知識が自分に必要なら、自分はそれをしかるべき参考図書で見つけるか、その知識を詳細に知っている彼の会社の専門家に尋ねると言って、彼は自分の答えの正しさを証した。

優れた技術を持つ事業家がクイズの質問に答えられなかったにも拘らず、クイズは実行された。しかしその勝者の誰一人として、その後、米国の科学技術の分野で優れた人物となった者はなかった。[45]

他のケースは、ある時ロシアのテレビ番組の画面から聞こえて来たのだが、番組参加者の一人が自分の妻について話していた。彼女は医者で、ある時、試験の準備をするために家に医学のテストを持って帰って来た。夫はテストを最後まで読み、ほとんどすべての質問に正しい答えをし、高い技能資格の医者のカテゴリーを得るのに必要な点数を取ったが、それでいて何の医学教育も受けていなかった。

彼は高得点の理由を、自身の広い見識と、数年の共同生活の間に妻と彼女の仕事について家で話しているからだと考えている。もし彼が出された質問に対し、必要な例を挙げながら答えなければならなかったとしたら、彼の経験が高得点に結びつくことはなかったに違いない。

このようなことから次のような結論を導くことが出来る。

・テストを基にした教育プロセスの検査では、創造的な潜在能力も、人の認識的・創造的学識の到達水準も評価することができない。

・テストは、他の知識検査方法を採用した時には技能資格認定レベルを超えられなかったであろう人に、最も優れた評価を間違って与えてしまう可能性がある。

・テストに照準を合わせた教育制度は、創造的潜在能力の獲得や発達を促進せず、本質には一言も触れない他の何らかの課題を解決しているに過ぎない。

アナリストの主張によれば、テストに照準を合わせた教育制度の独特な特徴は、その中に明らかに常識外れの、計測学的に根拠のない、または単にその解き方によって変化し得る、可能な答えの範囲を超える解答が見つからない時でさえ解答することができることである。何であれ、準備され提示されたいくつかの解答の中から一つの答えを選ぶというのは、実際に身につけた知識に基づいて自分で答えを作成するよりも、知性にとってより簡単な課題であることは当然のことだからだ。

もちろん、生産の自動化の現代に必要不可欠な職業的技能となり得るのは、作業盤上の基礎的なボタンの切替を一定の順序で行うことや、コンピューター上での応用ソフトのダウンロードだろう。設備や技術の管理者以外、どのように何が動いているのか、誰も知ってはいけない場合もあり得る。総体に通じていないことは最も厳しい規律と共に、例えばチェルノービリのような大惨事になるかもしれない素人の思い上がりを防ぐ、一定の保証になり得るからだ。

技術開発や生産機関のための少数の専門家は、知的活動に才能がない他の集団とは別個に教育することが可能だ。

テストがソ連邦の高等教育機関のカリキュラムに普及した一九六〇年から七〇年の頃、学生たちがテストの事を「当てっこゲーム」と呼んで皮肉まじりに扱い、彼らが習得したカリキュラムの実際のレベルを効果的に検査する方法だとは全く認めなかったことは興味深い[46]。

全ての知識はそのそれぞれの位置付けと相互の因果関係の把握が不可欠だが、ソ連邦の教育にはそれがほとんど欠如していた。周りの世界の系統的知識と広い視野が欠如した結果、専門家は管理責任者の質の高い決定を承認する能力が本質的に限られていた。そのような管理責任者たちはその後、質の高い決定をすることが出来ず、専門家を装う無学者や出世主義者と、本職の専門家を見分けることも出来ず、予想できない状況下での意志決定が出来るはずもなく、効果的な決断の代わりに、破壊的で破滅的なメカニズムを作動させていった。

その後、物事のそのような状態は統治体制の全てのレベルで官僚政治、無責任、基準に合わない行動をもたらした。そのようなレベルの指導者たちの操作なら、月面探査車を操作するよりずっと効果的にできた。[47]

否定的な例から特徴的なものをさらに一つ挙げよう。ソ連邦と米国の教育を比較して、後者（米国）を支持して指摘出来ることは、アメリカの科学の主要な部分は、高等教育機関で直接生み出されるということだ。何故なら学生に講義をするのはほとんどの場合、科学技術のしかるべき部門での実生活や職務経験と直接関係のある専門家たちだからだ。しかも学生には自身の実習案を実際の科学研究活動で実現させるチャンスがある。

現在のウクライナに必要なのは、科学の発達を生産の効率化に結び付け、それによってウクライナの企業の革新活動を強化しつつ、経済の再構成を教育プロセスの改革と同時に行うことである。そうすれば、必然的に教育の質も向上する。

専門家的技量の欠如や権力側エリートの行政的未熟さが増大している昨今、教育の質の低下と権力闘争の社会的に無統制な傾向が、ウクライナを世界の僻地へと追いやっている。このような状態は、ウクライナの社会が創造的潜在能力を不要とした代償に、高い犯罪率と麻薬中毒などの

「社会的」病の蔓延を招き、多数の国民の堕落という報いを受けていることでさらに深刻化している。

第五章　ウクライナ社会における宗教問題

嘘は世間の出来事の全てにおいて害である。新鮮だと言って古いものを売り、ちゃんとしたものだと言ってがらくたを売る。借金を返済すると約束しても、実は返さない。しかしそのような嘘のすべては、宗教上の問題における嘘に比べれば何ということもない。神でないものを神だと偽り、魂に幸福をもたらさないものを魂に救いをもたらすと信じ込ませ、正義や善を罪や悪だと偽る……

レフ・トルストイ

ウクライナの宗教組織

人々は、自分を罪深い人間だと考える敬虔な信者と、
自分を敬虔な信者だと考える罪深い人間とに分けられる。

ブレーズ・パスカル

キリスト教が現在のウクライナの地に広まったのは紀元後の初頭である。教会の伝説では使徒アンデレが、この地におけるキリスト教の誕生のシンボルとして、キーウのある丘の上に十字架を建てたとの話が伝わっている。

黒海の北部沿岸でのキリスト教の共同体の存在を立証する史料が三二五年の第一回の全地公会（正教の全教会の会議）の議事録で、そこには会議に「スキタイの主教管区長」の主教、カドゥム・ボスポルスキーとフィリップ・ヘルソネスキーが出席したと記されている。同じく三八一年の第二回全地公会の議事録は「コルスニのギリシャ教会の主教」の出席を記している（クリミア）。

その後の社会の上層部へのキリスト教の浸透を促進したのは、キーウ・ルーシと東ローマ（ビザンチン）帝国の外交的、商業的、軍事的相互関係であった。八七六年に公として初めてアスコルドがキリスト教を受け入れ、九五五年には公妃オリハが洗礼を受けた。キーウでは共同体が作られ教会が活動し、その結果コンスタンチノープルの総主教管区のリストに、六一番目の主教管区、ルーシの管区が登場した。

キリスト教化を遂行したのはヴォロディーミル公で、彼はキリスト教を受け入れ、九八八年に現在のヴォロディーミルの丘地区でドニプロ川に注ぐポチャイン川で、キーウ住民に洗礼を受けさせた。キーウの初代府主教となったのは東ローマ帝国出身の主教ミハイルであった。キリスト教はキーウからキーウ・ルーシの全ての都市に広まり、既に九九二年には、府主教管区はキーウ、ノブゴロド、チェルニヒウ、ロストフ、ヴォロディーミル・ヴォリンスク、ベルゴロドの六つの主教管区に分けられた[48]。

その後の正教教会の形成や分裂は、現在のウクライナの地における政治的、領土的改造と密接に結びついていた。

今日、ウクライナの主要な宗教はキリスト教である。しかし、社会の民主化と現在の国の宗教界の最新の変革の結果、一〇〇〇年に渡って他の宗教に対して支配的であった正教信仰は、この二〇年の間にその優越性を失い始めている。かくして、一九九〇年に正教の宗教団体の割合は七〇%であったが、他の宗教団体数が急激に増大したため二〇〇八年には正教の割合が四九%にまで減少し、一九九〇年に八九五一団体だった宗教団体の総数は、二〇〇九年には三万四二五七団体に激増した。

二〇〇九年初めの全聖職者数は二万九八九二人で、一九六の宗教教育機関で一万七五四九人が学んでいた。

現在、国の情報社会にあふれているのは宗教団体に属する三七七の定期刊行物である。

二〇〇九年、大部分の宗教団体が属しているのは次の六つの教派である。

一、モスクワ総主教庁系のウクライナ正教会――一万一七三一団体
二、キーウ総主教庁系のウクライナ正教会――四二二一団体
三、ウクライナ・独立正教会――一二一九団体
四、ウクライナ・ギリシャ・カトリック教会――三七二八団体
五、福音派キリスト教徒バプテスト教会の全ウクライナ連合――二六七九団体
六、福音派ペンテコステ派信仰のキリスト教徒の全ウクライナ連合――一五三三団体
モスクワ総主教庁系のウクライナ正教会、キーウ総主教庁系のウクライナ正教会、ウクライナ独立正教会が、ウクライナの正教の三つの主要な変更名称となっている。この状況は次のような出来事の結果生じた。[49]

九〇年代が始まろうとする頃、ウクライナ正教会（УПЦ）は、モスクワ総主教庁に行政自治権の付与を求めた。行政自治権は間もなく与えられたが、モスクワ総主教庁への教義的服従を維持することが同時に求められ、一九九〇年にモスクワの司教評議会で合意に至った。

しかしウクライナ国家の宣言の後、ウクライナ正教会の地方議会は一九九一年一一月にモスクワ総主教アレクシイ二世に対し、教会の伝統に則ってウクライナ正教会に完全な独立を付与することを再び請願した。それはウクライナの正教会の教義的独立性を確立するはずのものであった。この請願の結果、ロシア正教会によってフィラレート府主教は全ての聖職位を剥奪された。一方、一九九二年の六月に聖職者の一部がモスクワ総主教庁系のウクライナ正教会を名乗り、自分たちの指導者としてロストフとノボチェルカスの府主教ヴォロディーミル（サボダン）を選出した。

キーウ総主教系ウクライナ正教会は、一九九二年六月二五、六日にキーウで開催された統合全ウクライナ地方正教会議で結成された。会議の出席者は府主教フィラレートを長とするウクライナ正教会の聖職者と一般信者で、彼らは独立国家のウクライナ教会の独立性を求めた。会議はウクライナ独立正教会総主教ムスチスラフの権威と全権の承認を宣言した。しかし、統合のいくつかの条件でムスチスラフの合意が得られなかった後、ウクライナ独立正教会の一部がキーウ総主教系ウクライナ正教会を離れた。

一九九五年の一〇月にキーウ総主教系ウクライナ正教会の全ウクライナ評議会で、長年教会事業経験のある指導者のフィラレートが、キーウと全ルーシ・ウクライナ総主教として選ばれた。

このようにしてウクライナの正教は三つの教会組織に分裂した。以前は一つの教会の三つの構成部分であったのだが、それぞれの見解によって分かれてしまった。今日、独立したウクライナのために働きたいという願いが三つを近づけているが、独立したウクライナが何よりも必要としているものこそ、統一した地元のウクライナ正教会である。

四番目のウクライナ・ギリシャ・カトリック教会（正教信者には伝統的に帰一教会と呼ばれている）は、ビザンチン儀礼のカトリック教会で、最高大司教区の地位を持っており、ウクライナ及びウクライナのディアスポラ（ウクライナ出身の海外移住者）のほとんどの国で活動している。[50]

ウクライナ・ギリシャ・カトリック教会はその歴史を、九八八年のヴォロディーミル公によるルーシの洗礼時から始まるとしており、その時にコンスタンチノーポリ総主教庁の教義的配下にあるビザンチン儀礼のキーウ府主教管区が創設された。当時は教会がカトリックと正教に分かれてはいなかったので、キーウ府主教はローマ教皇とも共に教会の交流に参加していた。その後、一〇五四年に分裂した後、キーウ府主教はローマとの交流を断った。しかし、公式的な断絶にも拘らず、キーウの高位聖職者はカトリック教徒との教会関係を保ち続けた。

一四三九年のフィレンツェ連合の結果、キーウ府主教はローマ教会との統合を復活させ、ブレスト連合に至るまでフレンツェ大聖堂に忠実であり続けた。一五九六年のブレスト連合の時、コンスタンチノーポリ総主教系のキーウ府主教は、完全にローマ教皇の管轄下に変わり、ローマ・カトリック教会と再統合した。連合の規約には、正教信者と聖職者が自分たちの伝統的儀礼や奉神礼の教会スラヴ語を保持する際には、ローマ教皇の権能とカトリックの教理を認めることが規定されている。

ウクライナ・ギリシャ・カトリック教会はウクライナの西側地域に根付いたが、それらの地域はカトリックの国々（オーストリア・ハンガリー帝国、ポーランド・リトアニア王国、ポーランド）に組み込まれた時代があった。教会での礼拝は現在では主にウクライナ語で行われるが、ウクライナ語は教会スラヴ語と共に公式の祈禱語として認められている。

福音派キリスト教徒・バプテスト教会の全ウクライナ連合も何世紀にもわたる歴史がある。バプテスト派（ギリシャ語由来で『洗礼』の意味）はプロテスタントのキリスト教の一つである。この教派はイギリスの清教徒社会から発生した。バプテスト派教徒は赤ん坊の洗礼を認めていない。というのも堅固なキリスト教の信念があり、罪深い生活様式と決別した大人の、個人的信仰に基づいた意識的な洗礼を認めているからだ。他のプロテスタントと同様にバプテスト派教徒は、六六冊からなる旧約聖書、新約聖書に特別な権威を認めている。教会生活の実践において、バプテスト派教徒は普遍的神権の原則、また個々の教会共同体の自主性と独立を堅持している（会衆主義）。共同体の司祭（牧師）は絶対的権力を持っておらず、最も重要な問題は教会の会議で、信者の総会で決められる。祈禱は創造的な性格を帯びていて、説教、伴奏を伴った歌唱、即興の祈り（自分の言葉で）、宗教物語詩や詩の朗読会から成り立っている。[50]

最初のバプテスト派教徒は、宗教的弾圧のためにイギリスからオランダに移住したイギリス人であった。バプテスト派の創始者であり、最初のバプテスト派団体の指導者となったのはジョン・スミスである。一六一二年、イギリスで宗教弾圧の波が消えた時、アムステルダムのバプテスト派教徒の一部は故国に戻った。そしてこの年、一六一二年にロンドンで最初のバプテスト派団体が結成された。正にイギリスで、バプテスト派の宗旨や教理、また「バプテスト派教徒」という名称自体が完全な形で形成されたのである。

ウクライナの福音派キリスト教徒・バプテスト派教徒の歴史は、一九世紀の後半にウクライナの南部の村民たちの間で最初の信仰による洗礼が行なわれた時から始まる。やがて最初の団体が出来、一八八四年にはタウリデ県のノヴォヴァシーリエフカ村で最初の福音派キリスト教徒・バプテスト派教徒の大会が行われた。

その当時としては大変多数のバプテスト派教徒は、一九世紀末には一〇万人から三〇万人を数えた。そして一九〇五年には既に、ロンドンで開催された第一回バプテスト派教徒の世界大会で、バプテスト派世界連盟が結成された。この連盟には今に至るまで、世界のあらゆる地域で実際に活動している二一四のバプテスト派教徒連合が加わっている。

ウクライナでは一九三〇年代の前半に全てのバプテスト派教会が閉鎖され、祈りの家は没収された。一九四四年までに二万五〇〇〇人の伝道者が逮捕され、その内二万二〇〇〇人は行方知れずとなった。そして一九九〇年になってやっとウクライナのバプテスト派教徒連合が復活し、新しい歴史が始まった。[51]

六番目の福音派（ペンテコステ派）のキリスト教が現在のウクライナの地に現れたのは一九二〇年代で、その後ソ連邦の領土で広まった。ウクライナでもロシアでもペンテコステ派の宗教的先駆者と見なされたのは、モロカン教徒（僧侶や教会を排し、平和主義を主張して兵役を拒否した）とドゥホボール派教徒（一八世紀中ごろ南ロシアに興った宗派。神秘主義、無政府主義の傾向が強い）とその他のいくつかの宗派で、彼らはペンテコステ派が広がる素地を作った。

ペンテコステ派はキリスト教の後期プロテスタントの流れで、十九世紀末から二十世紀初めに米国で興った。その思想的起源は宗教・哲学的運動リバイバリズム（英語の revival 復活、目覚め）にあるが、この運動は十八世紀に米国や英国などの国々の一連のプロテスタント教会の信奉者の間で興り、最終的に「ホーリネス運動」（英語の Holiness Movement）の枠で発達したものである。

ペンテコステ派信者は、聖霊による洗礼の結果信者が授かった力は、「異言」（神がかり状態で発せられる意味不明の言葉、それによる祈りや神のお告げ）によって目に見える形で現れると信じている。「異言での発話」という現象の特殊な理解がペンテコステ派信者の特徴である。ペンテコステ派信者は、それは普通の外国語での会話ではなく、通常、話者本人にも聞いている人にも意味

刊行案内

No. 58

（本案内の価格表示は全て本体価格です。

ご検討の際には税を加えてお考え下さい）

ご注文はなるべくお近くの書店にお願い致します。

小社への直接ご注文の場合は、著者名・書名・冊数および住所・氏名・電話番号をご明記の上、本体価格に税を加えてお送りください。

郵便振替　00130-4-653627 です。

（電話での宅配も承ります）

（年齢枠を超えて柔軟な感受性に訴える「８歳から８０歳までの子どものための」読み物にはタイトルに＊を添えました。ご検討の際に、お役立てください）

ISBN コードは 13 桁に対応しております。

総合図書目録呈

未知谷
Publisher Michitani

〒101-0064　東京都千代田区神田猿楽町 2-5-9
Tel. 03-5281-3751　Fax. 03-5281-3752
http://www.michitani.com

リルケの往復書簡集二種完結

＊「詩人」「女性」からリルケ宛の手紙は本邦初訳

若き詩人への手紙

若き詩人F・X・カプスからの手紙11通を含む

ライナー・マリア・リルケ、フランツ・クサーファー・カプス著
／エーリッヒ・ウングラウブ編／安家達也訳

208頁 2000円
978-4-89642-664-9

若き女性への手紙

若き女性リザ・ハイゼからの手紙16通を含む

ライナー・マリア・リルケ、リザ・ハイゼ 著 ／ 安家達也 訳

176頁 2000円
978-4-89642-722-6

8歳から80歳までの

岩田道夫の世界

子どものためのメルヘン

岩田道夫作品集　ミクロコスモス ＊

フルカラー A4判並製 256頁 7273円
978-4-89642-685-4

「彼は天才だよ、作品が残る。生きた証も人柄も全てそこにある。作家はそれでいいんだ。」（佐藤さとる氏による追悼の言葉）

波のない海＊

192頁 1900円
978-4-89642-651-9

長靴を穿いたテーブル＊

──走れテーブル！　全37篇＋ぷねうま画廊ペン画8頁添

200頁 2000円
978-4-89642-641-0

音楽の町のレとミとラ＊

ブーレの町でレとミとラが活躍するシュールな20篇。挿絵36点。

144頁 1500円
978-4-89642-632-8

ファおじさん物語　春と夏 ＊

978-4-89642-603-8　192頁 1800円

ファおじさん物語　秋と冬＊

978-4-89642-604-5　224頁 2000円

らあらあらあ　雲の教室 ＊

シュールなエスプリが冴える！　連作掌篇集　全45篇

廊下に出ている椅子は校長先生なの？　苦手なはずの英語しか喋れない？　空から成績の悪い答案で出来た紙飛行機が攻めてくる！　給食のおばさんの鼻歌がいろんな音に繋がって、教室では皆が「らあらあらあ」と笑い出し……

192頁 2000円
978-4-89642-611-3

ふくふくふくシリーズ　フルカラー64頁　各1000円

ふくふくふく **水たまり＊**　978-4-89642-595-6

ふくふくふく **影の散歩＊**　978-4-89642-596-3

ふくふくふく **不思議の犬＊**　978-4-89642-597-0

ふくふく　犬くん　きみは一体何なんだい？　ボクは　ほんとはきっと　風かなにかだと思うよ

イーム・ノームと森の仲間たち ＊

128頁 1500円　978-4-89642-584-0

イーム・ノームはすぐれた友だちのザザ・ラパンと恥ずかしがり屋のミーメ嬢、そして森の仲間たちと毎日楽しく暮らしています。イームはなにしろ忘れっぽいので　お話しできるのはここに書き記した9つの物語だけです。「友を愛し、善良であれ」という言葉を作者は大切にしていました。読者のみなさんもこの物語をきっと楽しんでくださることと思います。

郵 便 は が き

適宜な
切手をお貼り
下さい

〒101-0064

東京都千代田区
神田猿楽町2-5-9
青野ビル

（株）**未知谷** 行

ふりがな ご芳名 E-mail	お齢 男　女

ご住所　〒　　　Tel.　-　-

ご職業	ご購読新聞・雑誌

愛読者カード

ご購読ありがとうございます。誠にお手数とは存じますが、
アンケートにご協力下さい。貴方様の貴重なご意見ご感想を
賜わり、今後の出版活動の資料として活用させて頂きます。

●本書の書名

●お買い上げ書店名

●本書の刊行をどのようにしてお知りになりましたか?

書店で見て　　広告を見て　　書評を見て　　知人の紹介　　その他

●本書についてのご感想をお聞かせ下さい。

●ご希望の方には新刊書のご案内をさせて頂きます。　　要　　不要

通信欄(ご注文も承ります)

不明の特別な言語であるとされる。もっとも、実際存在する、話者は知らない言語もこの能力の発現だと見なされる。これは人間が聖霊と会話ができるように神から与えられた能力で、これについては聖書のコリント人への第一の手紙の一二～一四章や他の場所にも書かれている。

その後、聖霊は信者に他の能力も賦与するのだが、その中からペンテコステ派信者は特に知恵の言葉、知識の言葉、信仰、治癒、奇跡を行うこと、予言、霊の判別、言語の解釈の能力を強調する。[52]

ペンテコステ派信者は二つの秘跡を認めている。それは水のバプテスマと最後の晩餐（聖餐式）である。彼らの中にはそれらを象徴的に理解し、神聖なものとは理解していない人々もいる。また彼らは次のような儀式も認めている。それは結婚式、子供の祝福、病人のための祈り、叙聖式、時には洗足礼（聖餐式の時）である。

二〇〇を超えるペンテコステ派団体がウクライナで自立的に、宗教関係の国家機関に登録することなく活動している。

キリスト教と共にウクライナではイスラム教や仏教などの世界宗教も伝道されている。イスラム教徒は一一四一の組織を創設し、仏教徒は五三の組織を創設している。

ウクライナでかなり普及しているのは、世界で最も古い一神教であるユダヤ教で、ウクライナで二八三の組織がある。

さらにウクライナでは一〇〇以上の異教的思潮の宗教組織、またリベラルなキリスト教の組織も活動しており、それらは社会の神権政治的改革を活発に宣伝している。
教会と国家間の法的相互関係を調整しているのが「良心の自由と宗教組織について」のウクライナの法律である。この法律に立脚すれば、ウクライナでは教会と宗教組織は国家とは分離しており、学校は教会から分離している。どの宗教も一つとして国家に義務宗教と認められることはない。[53]
加えてウクライナでは破壊的組織を含む非伝統的宗教組織が活動しているが本書では割愛する。

破壊的カルトの危険性

受難者を敬う宗教もあれば、迫害者を敬う宗教もある。

スタニスワフ・イェジー・レック

今日のウクライナでネオカルトが普及するための環境条件は、大いに整っていると言える。国民のほとんど半数を貧窮化させた経済危機と不法行為の本質的な影響に加えて、さらに社会心理学的、社会文化的情況の劣化まで揃っている。

外国の伝道者達の特殊な活動と、伝統的な教会の能力を本質的に上回るその財政能力、さらには世代間の社会的経験や価値観の断絶がネオカルト信者数の増加の原因だと考えられる。

この状況は破壊的組織にも発展の可能性を与えている。それらの組織はまず第一に、政治体制の否定的変化や国民の心理的な不安定を利用する。そしてそのような団体の主要な人々にとって商業的目的、即ち信者から資金を収奪することが基本的な目的であるが、彼らの活動の全体的な結果を考えると国家にとっても破滅的であり得る。

ネオカルトは催眠状態や瞑想を頻用するが、それらは意識を麻薬による恍惚状態のように変えつつ脳活動のプロセスを変化させる。その後は意識の焦点が狭まり、従属関係が増大し、指導監督官が押し付ける役割が強化されることとなる。

しかもいくつかのネオカルトの指導者たちは、信者の行動を操り、彼らを自分たちのメンバーに留め置き、（カルト内外での）販売からの利益を得るために麻薬の使用も辞さない。[54]

最新のネオカルトの中ではオーディオによる刺激の利用、即ち恍惚状態に導くために祈りの言葉の入ったカセットを聴かせることが大変広まっている。そうした行為がその後、一定の行動へと向かう心理的な準備態勢を形作ることとなる。

ウクライナ保健省の法医学精神医学研究所とパブロフ名称代替医療病院センターがそのようなカセットの一つを研究した結果、専門家は次のような結論を導いた。音波の無際限性のある喉頭音で作られたオーディオ要素が録音にはあり、閉鎖空間で、穏やかな状態で長い間それを聴くと、大脳の皮質下部の抑制を引き起こす可能性がある。心理状態が弱った人々がこうした録音を聴くと、極度の精神不安や遺伝的精神疾患を悪化させる可能性がある。[54]

いわゆる「マカ・ハラ」の歌には別の特徴がある。この歌は人を絶え間ない不安と期待の状態におく。長い間この歌を聴くと神経衰弱を引き起こす可能性がある。これは個人の心理状態の程度や、重苦しい単調な音楽の理解の程度による差がある。この歌は人の精神状態を絶え間なく鍵となるフレーズに向かわせ、そのフレーズは信者にとって真実となり、具体的な行動を計画するために使用される可能性がある。

ネオカルトの指導者は信者を繋ぎとめておくために、科学技術の成果、即ち、現代のサイコテクノロジーや、脳に直接的作用を及ぼすように作られた、コンピューターネットワークに繋がる特別な機器さえしばしば利用する。[54]

かなりの数のネオカルトが自身の体制や組織についての情報を綿密に統制しており、それらの情報は教義のいくつかの段階を学習した後でなければ得ることができない。自分たちの潜在的信者を惹きつけるために、ネオカルトはよく吟味された募集計画案を使っている。

この時に興味深い方法であるのが「愛による爆撃」で、この名前を考案したのは統一教会信者である。初心者は常におだてられ、その道徳的性質や知的能力に関してお世辞を言われ、その人の問題に心からの関心を示され、何かと世話を焼いてもらう。新しく入会した信者は魅惑され、本当に新しい友ができたように思う。

大変興味深い結論を導いたのはフランスの「セクトの極めて有害な活動から家庭や子供たちを護る協会」（Association pour la Sauvegarde de la Famille et de la Jeunesse, Herblay, France）で、新しい信者をセクトに勧誘する過程の、綿密に練られた戦略を暴露した。[54] 大体においてその過程は四つの段階に分かれる。

第一段階――お世辞や幸福・自由の約束による甘言と誘惑。

第二段階――長期間の伝道、瞑想、ダイエット、精進によって個人の心理的防衛心、現実を批判的に理解する能力を無力化すること。グループのメンバーだけに通じる特殊な語彙をつくることで、個人の活動を制限する。

第三段階――グループにおける信者の会員としての身分の強化。家族・学業・仕事やその他の（医療・宗教・政治）社会制度との断裂。

第四段階――脅しや前もって作られた借金に加え、共通の事業の勝利を目前にして断念することの不合理性に関する補足的な心理的説得によって、社会復帰が不可能な状況をつくる。

一九九三年にウクライナで、いくつかのネオカルト（「ラージ・ホワイト・ブラザーフッド」、「ボゴロジツキー・センター」など）に影響されたと感じた人々の心理状態の研究が行われた。経験豊かな心理学者が導いた結論は、カルト集団の自分への影響を経験した人々には重大な知的・活力的障害が起こったということである。そのような変化は行動や生命活動の神経制御メカニズムに影響を与える。[55]

このように、前述した全てのことを考慮すれば、国家や社会、個人にとって危険であるネオカルトの活動の違法性から、ウクライナ国家の安全に対する脅威のレベルを判定することができる。

（一）ウクライナの国内、対外問題に干渉するために宗教的要素を用い、立法、行政、地方政権組織、またマスコミに潜入すること。

（二）ウクライナ国民の精神的・知的本性に脅威をもたらし、全人類的な規範に矛盾する破壊的テクノロジーの普及。

（三）その活動が人的犠牲や大衆暴動、テロ活動を引き起こす可能性がある個々の好戦的カルトのコントロールから脱出できる策があること。
(四)宗教的・民族的なものを基礎とした挑発や対立の激化。
(五)人格の意志の領域を操作することを可能にする化学的薬剤や装置を使って、人の健康に害をもたらすカルトの普及。カルトを去ると決断した人々の追跡の脅威。
(六)犯罪組織による宗教団体の利用。犯罪的手段によって得た資金を、ネオカルトを通じて可能な資金洗浄をする。あるいは反対に、寄付金や信者自身を違法活動に利用する。この側面からは麻薬中毒が拡大する恐れがある。ネオカルトの一部の指導者たちは人を操ったり、利益を得るために麻酔剤を使用している。ネオカルトの大多数は、寄付によって得た資金に対する税の支払いを免除される宗教連合、あるいは会費収入に税を払わない社会団体として公の場所に出ている。宗教的社会団体、とりわけネオカルトの代表者たちは、規約で定められた経済活動を隠れみのにして、違法の商業活動を営み、その際も税を払わず、また人道援助を装って商品を輸入している。[55]

ウクライナの法律の時代錯誤

目的をすっかり見失った後、我々は努力を倍加した。

ジョージ・サンタヤーナ

先に述べたことが色々とあるにもかかわらず、ウクライナでは信教の自由が声高く叫ばれ、リベラルな法律は伝統的な宗教も、破壊的傾向のあるネオカルトも、その権利を平等にしている。

この状況は全体として、ウクライナ社会にとっての本質的な脅威を内に秘めている。宗教団体に関して過度にリベラルな政策は、国家にとって危険な破壊的団体の破滅的な拡大につながるが、それらの活動は世界の多くの国々では禁止されている。

今日、この状況は悪化する恐れがある。というのも、二〇〇九年の三月に「良心の自由と宗教団体について」という法律の新版が出たからだ。古い版が実際に少し変更されたのだが、では、どのように変更されたのだろう？

第5条によれば、教会の社会的に有益な企画に、国家は資金を供給する義務がある。即ち、教会は市場関係に移行し、そこでは慈善や慈悲はもう基本的要素ではない。つまり、役人が汚職の範囲を広げつつ、自分のための新しい裏ルートを開いていることを誰も深く考えなかった。

ウクライナの軍人たちの信教の自由の権利がもたらす国家の危機的状況は、まさに驚くばかりである。その結果、法律の新版によれば、軍の部隊が配置されている場所に聖職者とカルト施設の存在を保障することが適切だということになってしまう。宗派の多様性や宗教的信念について起こり得る論争を解決するのは、現地の指揮官たちかもしれない。つまり、聖職者の軍事研究所創設の話となるのだ[56]。

ここで国家の主権を保障するのはその軍隊であることを強調する必要はおそらくないだろう。しかし我が国の軍隊は、自身の地位に関する最低限の規準にさえちゃんと合致していない。理由はたくさんある。必要な資金供給の欠如も、老朽化した武器も、若者を訓練する制度の不備もその理由である。列挙したもの全てに加えて、今日では更に一つの潜在的な問題、ウクライナの兵士たちの士気の低下が起こっている。

二〇〇九年の五月初めに、ウクライナ軍の軍人の聖職者によるケア活動での協力について、覚書が調印されたことに言及しなければならない。覚書に調印したのはウクライナ防衛省、ウクライナ正教会キーウ総主教庁、ウクライナ・ギリシャ・カトリック教会、ローマ・カトリック教会、ウクライナ独立正教会とウクライナのイスラム宗教庁の代表者たちであった。

大変奇妙であるが、福音派キリスト教徒・バプテスト教会全ウクライナ連合の副代表も、この宗派の教義は武器の使用や軍隊での勤務を許していないにも拘らず、この書類に署名している。福音派キリスト教徒・バプテスト教会の宗教団体は、ウクライナの「非軍事奉仕について」の法律に従って、非軍事奉仕の権利を有する団体のリストに載っている。[56]

自由に活動をしている破壊的カルトとの切迫した問題を思い出し、「全ての宗教、信仰、そして宗教団体は法の前に平等であり、一つの宗教、信仰、宗教団体に何らかの特権もしくは制限を設定することは許されない」というウクライナの法律を根拠に考えてみると、次のような疑問が浮かぶ。「この場合、全ての宗派は聖職者によるケアを行うのか否か？」

国家の元首や国旗、その他の国家を象徴するものに挨拶すること、また自衛や武道の方法を学ぶことを教義によって禁止されているエホバの証人が、どのようにして「軍の集団、軍人の家庭の中で健康な心理状態を創りだすこと、愛国的軍教育、道徳性や精神性の形成」に協力するのか、覚書にそれはどのように書かれているのか、見ることができたら大変興味深いことだろう。

このようにして破壊的宗教団体には、ウクライナ軍の個々の軍人、もしくは軍人のグループを直接、全体主義的にコントロールできる素晴らしい可能性が出現したのである。精神的に不安定な人々に武器を持たせることの結果について、言及する必要はないだろう。

さらに一つ微妙な話がある。従軍聖職者になれるのはウクライナ国民だけであるという規定が、どこにも明言されていないのだ。だから例えば、皆が良く知っている団体「神の国大使館」のナイジェリア国民のサンデー・アデラジャがそのようなケアを行うことに何の障害もない。ウクライナの司法機関の評価によれば、この団体の活動は「破壊的で、時には国の国務に対する干渉と紙一重でもある」[57]。実際、ウクライナの法律によれば、外国人は軍の部隊の管轄地域に入る権利はない。またしても矛盾、法律上の食い違いがある。

法律の新版に次に新しく導入されたこと、それは国立、及び公立の教育機関における宗教・道徳科目と、宗教についての科目の教育権の認可である。新しい法律案の作成に参加しなければならなかった学校の当該系統の教育の専門家たちが、この件についてどのように反応したかは明らかでない。この場合、警告となるのは、授業中に宗教儀式を行うことはできないということだけである。全体として、提案されている変更は、予算を使って学校を教区付属の施設へと将来作り変えることを、今すでに想定している。

誰が生徒たちの宗教教育に携わることになるのか、またしても明言されていない。その人物から子供たちを護らなければいけないような人々が、明日、啓蒙活動のために、完全な公務で学校にやってくることがあり得るのだ。法律によって許容されたこのような宗教上の曖昧さは、新規導入が原因となって教会、宗派、そして社会の一部の間に新たな対立を引き起こす。

もう一つ問題がある。それは、宗教団体による高等教育機関の設立である。実際、そのような高等教育機関が各地に増大しているにしては、最適に仕上げられた教育の統一基準が現在のウクライナにはないことを考えなければならない。教会と国家は相異なる教育プログラムを利用しており、これら二つの制度の間で特別な学位のレベルが一致していない可能性がある。

にも拘らず現行の法律に立脚すれば、現在、宗教団体もしくは教会は公費負担で、様々な専門のスペシャリストを育てるためのどのような教育機関でも設立することができ、そのような教育機関はすでにウクライナに存在する（福音派キリスト教徒・バプテスト教会によって設立されたキーウキリスト教大学）。しかし宗派諸組織の大多数は、学習教育プロセスの設立に自らの資金を費やすことを望んではいない。

結論を導くにあたり言えることは、現在のウクライナは一般（非宗教）教育システムと宗教教育システムとを統合する準備がまだできていないということ、また、ウクライナ国家の多宗教性を考慮すればなおさら、学校と教会の統合を急ぐ必要はないということである。

宗教は文化の一部分であることを考慮すれば、哲学や歴史や倫理の講座で簡単な形で宗教を語ることが最適な問題解決になるだろう。ましてや宗教科目の授業を直接行うのは教師ではなく、宗教教育を受け、信者指導の人生経験のある聖職者であるべきだ。しかしながら二〇〇九年に、キーウだけで一三〇以上の学校が「キリスト教倫理」の科目を必須科目として導入した。一方、ウクライナの法務省が神学科目の基準は違法であると認めたにも拘らず、現在の高等教育機関では神学の講座の方が宗教学の講座より多い。しかもこのような導入は公費予算で行われているのだ。

法律の新版の方に話を戻し、その第３条に注意を向けたいと思うが、この第３条は未成年者を宗教活動に引き入れる可能性を全体として広げている。現行法に定められているように、自分の子供の宗教的道徳を決定する権利は両親に残しておく方が公正であろう。

新版の第８条には、共同の信仰、あるいは宗教活動を行う目的で、地方の宗教団体は自然人（法律上の個人）によって結成されると記載されている。ウクライナで自然人とされるのは、未成年者や外国人、国籍のない人や法的能力のない人さえ含む、出生から死に至るまでの全ての人である。つまり、登録をしなくても、医院で治療を受けている精神病患者でも宗教団体を作ることができるということだ。これが完全な民主主義だとでもいうのか！

ついでながら、新版の13条によれば、そのような団体は自分の支部や代表部を創設できる。またこの版では、ウクライナに合法的に居留している外国人が宗教的傾向の団体を結成し、信仰などの宗教活動をする権利も想定されている。しかも外国の宗教本部はウクライナに自分たちの代表部や支部を創設する可能性がある。そのような法人の地位の合法性の審査や、その世界観が及ぼす影響の結果の審査について、また、支部数の制限については何も言及されていない[58]。

これらのことはウクライナ国家の特異性やそのユニークな民主的原則、また信じ難いほど広い視野を持つウクライナ人の特異性に思いを抱かせる。ウクライナ人は様々な心理操作による影響を自身で経験したり、自分の家に最新のサイコテクノロジーの実験場を設置したりする覚悟があるのだ。

このようなことを促進しつつ、ウクライナは、かつて国家と宗教団体の間を取り持っていた所轄官庁さえ放棄した。よって、団体の海外の代表者たちを招待することについて、もはや了解を得るべき相手は誰もいない。完全な自由だ！

宗教団体やその活動の監視に関して、現在のウクライナはこのような状態である。一九九九年の六月二二日に欧州評議会議員会議が、危険なセクトの拡大防止が極めて重要であることを強調した勧告を全会一致で採択したにも拘らず、状況はその後も複雑化している。この勧告に従って宗教的、秘教的、あるいは心霊術系のグループを監視するための欧州組織の創設が提言されたが、それができれば参加国の当該センター間の情報交換が容易になっただろう。欧州評議会も中欧と東欧の国々での情報センターの創設に着手しなければならない。

まあ、欧州連合の援助を待つことにしよう。

第六章　ウクライナにおける政治と権力

私は多くの同僚たちがぼやいているのを知っている。「ああ、ここはあまりにも不安定で、無秩序だ」と。ウクライナで僕は本物の政治活動の証人になったという感じがする。到着した日に、僕は古くからの友人に何がここで起きているのか説明してくれと頼んだ。彼は紙を取り、党の名前、国会での議席数、そして様々な形でどのような連合ができているのかを書き始めた。三枚の紙いっぱいに書き尽くし、こう言った。「これはカオスだ」と。僕は「でもこれはまだ本当の政治だ」と答えた。ここにはあなた方の北の隣人たちには無いものがある。

米国のブルッキングス研究所長のストローブ・テルボットの言葉

ここ私たちの国にあるのは無秩序だというのは、全くその通りです！　私たちの北の隣人たちに無秩序はありません。

筆者の言葉

ウクライナにおける権力の変質

どんな権力も国民から生まれる。そしてもう二度と国民には戻らない——　ガブリエル・ラウブ

権力の国民からの乖離は、ウクライナ民族が存在する全歴史を通じて見られてきたことである。明らかに限られたエリートの一部が、自分たちの狭い集団の利益と共に、いつも国家権力の諸制度の活動を支配してきた。そして今日の状況が、例えばスターリン・ブレジネフの時代と異なっている点は、ただ次の点だけである。即ち、全国家体制の中で重要なのは世論と、世論が社会・政治的進歩に与える影響だという幻想と共に、今起こっている事象を見る機会が市民社会に提供されていることだ。

しかし、集会やデモ、大規模で立派に組織されたストライキへと喜び勇んで駆け回り、国家権力の不完全さとその腐敗についての「絶対的真実」を嫌というほど見たり読んだりして、国民はいくらか疲れてしまった。

社会が一元的な一党の特権階級や一つのイデオロギー、苛烈な国内規律から永久におさらばしたという勝利の喜びが何故か急速に立ち消え、国民は秩序を恋しく思い始めた。実を言えばこれはいつものことで、ウクライナ人が他の多くの民族と異なるところである。心ゆくまで民主主義遊びをし、国民の一部はいつものように、今度は誰がやって来て秩序を整えてくれるのだろうと

夢想し始めた。

特権階級の全体主義体制、あるいはそれが少し和らいだ形——特権階級の独裁政治体制には、社会や国家の発達のために不足しているものが多数あるに違いない。しかし、残念ながら、民主主義も今のところ永続的なものは何も創造していない。世界には一〇〇%民主主義の国家など一つもない。しかし民主主義の重要性と有用性を論議する前に、今日のウクライナが行き着いた処をはっきりさせよう。

我が国の政治体制の構築は、実際、何から始まったのだろうか。

七〇年の間、ウクライナを支配していたのは共産党書記たちだった。抑圧の格子、政治的牢獄、全体主義体制の鉄のカーテンはほとんどあっという間に崩壊し、過去のものとなった。一方、新しく誕生した独立国家は、政治的・経済的戦略を自ら確定しなければならなかった。民主主義に酔った新しい波が、ソヴィエト連邦からの遺産で手に入った政治構造に本質的な変化をもたらした。

かくして、我々は政治勢力の幅広いスペクトル、即ち保守主義者や自由主義者から共産主義者やファシストまで、多元的な多党制度を手にしている。ウクライナの法務省の資料によれば、それら党組織の全体の数は一七二ある。我が国の各党はそのような数の中にあってもお互いに異なるプログラムを上手く作り、それらの各プログラムは大規模にウクライナ国家を変革し、ウクライナ国民の生活レベルを本質的に上げることができるに違いない。

潜在的な有権者が多数の党組織に戸惑わないように、仮に党を次のように分類することができる。
（一）国民民主的傾向の党。即ち民族・国家的イデオロギー的構成員が優勢を占める党。
（二）金融・経済グループの下に作られ、何れかの経済グループの地方組織を基盤にした持株会社党（従って、党を構成するイデオロギーは、最初から第二義的である）。
（三）現政権の保護のもとに作られた行政系の党。
（四）「左翼党」共産党支持的、あるいは社会主義的イデオロギーを持つ党。
（五）「リーダーを支持する党」具体的なカリスマ的政治家の支持者たちの地域的なグループ。
　これらの党は、もっと簡単に「左翼」「右翼」「極右」「中道」に分けられる。

　ウクライナの政治体制の特徴は、政権がビジネスのために粘り強く稼働していることである。因みに、ロシアではビジネスが政権のために稼働している。これは何よりも先ず、現在の現実によって説明できる。というのも大きなビジネスは（現在、あるいは過去の）地域政権体制の支援なしには創成されなかったし、今日、政権抜きで大きなビジネスは全く不可能だからだ。

　政権が決定したことや、その実現のためのいくつかの仕組みが不人気なのも、現在の現実によって説明できる。実用主義を第一とするそのようなやり方は、国家のグローバルな問題よりも、先ず具体的な少数独占資本家グループのビジネス利益を優先するからだ。

　ウクライナの政権機関は立法、行政、司法の三つの系統に分かれている。行政機関を代表しているのが内閣、首相、そして大統領である。

　独立した時からウクライナは三人の大統領を経験した。一九九一年から九四年まで最初の大統領となったのはウクライナ共産党中央委員会第一書記のレオニード・クラフチュクで、一九九四年から二〇〇四年まで二人目の大統領の椅子に就いたのがレオニード・クチマ、そして二〇〇四年に大統領となったのがビクトル・ユーシェンコである。

二〇〇四年の選挙の前、ウクライナの大統領の権限についての話題が次第にウクライナや海外のマスコミで絶えず取り沙汰されるようになった。強い大統領と異常に強い議会について話題となり、それに反して政府の役割が明らかに見えなくなった。しかも大統領の権限は東ヨーロッパの国々とは違って明らかに法外で、それより少し大きいのはフランス大統領の権限だけである。

この状況は是正された。そして二〇〇六年一月一日から憲法の保証人（大統領）はその権限の一部を失った。今日、正式に単独の指導者として、首相が事実上大きな権限を持ち、自分の内閣を組閣し、議会の大多数の支持を得ている。

憲法の新版によれば、大統領が有するのは拒否権、国防大臣と外務大臣任命権、国家安全保障防衛評議会、及び憲法裁判所の三分の一の裁判官の人選権、ウクライナ保安庁長官と検事総長の任命推薦を最高議会に提出する権利である。国家元首はまた非常事態宣言について決定を下し、最高司令官であり国家安全保障防衛評議会議長である。[59] それでいて、大統領には大臣や地方行政長官の任命権や免職権はなく、政府の代表候補は彼個人ではなく、議会の大多数によって推薦される。

今日の政府「内閣」を構成するのは首相、第一副首相、三人の副首相、一七人の大臣と内閣相である。現在の首相は既に一八人目の選出である（ユーリヤ・ティモシェンコは以前にもこのポストに就いている）。

首相候補と内閣の顔ぶれは最高評議会が承認する。首相候補者自身が政府を組織する。

この様な方策がとられたのは、行政機関の危機的現象を削減し、「弱い」政府を強くするためである。しかし三角形「大統領―政府―議会」の不均衡は顕著な結果をもたらさず、他の国々の地政学的利益の積極的な介入の結果、政権上層部での危機的現象はより一層難しくなった。

全面的で世界的な経験を昇華させようとする積極的な試みが、新しい、他とは異なる政治体制の構築へと導いた。現在、確信をもって言うことができるが、その政治体制はロシアの体制にも、ヨーロッパの体制にも似ていない。その体制は全体主義的でも、専制政治的でもなく、基礎的知識もないままに民主的で、ただ一つの定義、無政府状態に該当する。

共和制主義への永遠の憧れと、もはや遺伝子レベルでの最高権力の否定がウクライナを束の間、現実離れした政体へと導いたが、その時「ゲーム」のルールは全く存在していなかった。

政治的・経済的カオス状態を止めるために誰と結びつくべきかについて、現在、ウクライナ人が様々な戦略的構想を考慮中であることは、このような世界では全く驚くべきことではない。ユニークなのは、二〇年前みんなはできるだけ早く繋がりを断ち、自立しようと懸命だったのに、今はと言えば、再び何らかの連合に入ろうとしていることである。

多方位外交は弱者の外交だとみなされている。曰く、長く対立に持ちこたえることが出来ないからだ。今日、多方位外交を喧伝している政治家は素人政治家だと、あるいは堅固な政見を全く持っていないとされている。よって、一方位的な外交方針の構築は全体として異常な精神状態を社会に拡げつつ、我が国の政権上層部に分裂をもたらし始めた。
原則的に、明るい未来への三つの道が検討されている。即ち、北大西洋条約機構（NATO）、ヨーロッパ連合（EU）、あるいはロシアである。そしてNATOは国家の軍事的防衛として、EUは全体としてヨーロッパの貿易制度への統合として、ロシアは重要な政治的・経済的戦略的パートナーとして考えられている。ウクライナとこれら三つの相関関係については最終章「世界におけるウクライナ」で考察することにし、今のところは政治的状況を明確にしよう。

もし初めから分析するとすれば、先ず指摘しなければならないのは、ウクライナの政権はその誕生からこの数年の間に、そのまま質的に変わらなかったということだ。つまり、我が国の政治エリートの「批判的な大部分」は、以前のようにソヴィエト時代の党や共産主義青年同盟、経済の特権階級の出身者たちで埋め尽くされている。ここから全ての社会現象に対する特権階級的理解も生まれる。政治の新参者は「新しいブルジョア」のグループで、その主要課題は政権を所有物に切り換えること、その所有物を更に大きな政権に切り換えることである。

よって、国内で全体として起きている状況は、特権階級と「新しいブルジョア」のエリートの共生である。そのうちの一つは以前の政権であり、他方は未来の政権と言っても良い。いずれにせよ彼らが共に努力する方向は、決して社会への奉仕ではない。

最も重要なことは、エリートの無知を非難することは多分不可能だろうということだ。自分のビジネスの構築において、彼らは卓越した知的能力、組織能力を発揮している。従って、危機的現象を是正する気はないし、正にその理由は、多分、自分たちの利益に寄与するためであろう。

議会主義の市場的アプローチ

何があなたに語られるかは重要でない。あなたに語られるのは真実のすべてではないから。さらに何の話であるかは重要でない——いつもお金の話だから。

「トッドの最初の二つの政治原則」

ウクライナで立法を行うのは国会で開催する最高評議会である。二〇〇六年の一月一日に施行された新しい法律は、我が国を大統領・議会共和国から議会・大統領共和国に変えた。これは大統領の権限の制限と、政府と議会への権限の移譲の結果起きたことである。現在、最高評議会の権限の期限は五年で、議員は党の名簿に従って選出される。国会の議席数（四五〇）は、選挙で得られた有権者のパーセントに正比例する。

名簿制は国家権力の制度を完全に破壊した。というのも「国民の代表」が、もはや国民の選んだ人ではないからだ。これは人々によって選ばれた素晴らしい管理責任者や経営指導者の出身者ではなく、自分の党の指導者に忠誠を誓った人々で、多くの場合大きなビジネスの代表者である。ウクライナ議会についてレオニード・クチマは自身の書『マイダンの後』で次のように述べている。「それは議会ではなく、しかるべき動機と特性を全て備えた政治市場である。党派グループは営業利益のためのクラブだ。私は絶えず多くの議員と会ってきた。ここ数年、彼らは遠慮することを止めた。何らかの法案や、何らかの具体的な政治問題を議員と審議しようとしても、彼の頭に中にあるのはただ一つ――自分のビジネスなのだ。議員が大統領に求めるのは、彼の営業問題を解決する援助だけだ」

しかも名簿制によって、政治には全く不釣り合いな人々を議会に引っ張ってくることが出来る。前述の前大統領の本からの引用である。「模範的な乳牛飼育員や炭鉱夫、建築家、宇宙飛行士の代わりに、国会議員の候補者名簿には人気のあるテレビ司会者、女優、俳優、スポーツ選手が入れられる……普通の有権者は次のように自問しないと見込んでいるのだ。「歌手が一体どんな立法者や、国会の何らかの委員会の委員になるのだろうか?」

最も恐ろしいのは、歌手というのはまだましであることだ。というのも、全く個性のない一連の「国民の代表」が存在し、彼らは数のために「押し込まれた」からだ。[60]

世論調査によれば、このような状態は全ての政治勢力、特に二〇〇六年に勝利した党に対する不信を著しく高めることとなった。大部分の有権者の目には、今、議会で活動している政治勢力は、どうも社会の限られた法人の一部、あるいは既に地域的にも経済的にも限られた社会的構成部分を代表しているように見える。しかし誰も全国民を代表する勢力とは感じていない。[61]

最近の選挙で分かったことは、政権を握るのは強いリーダーを中心とした構想を持つ政治連合で、そこではリーダーが綱領であり、同時に組織を作る者でもある。極めて人気のある名門出身の政治家が地域のエリートや有権者に推薦された時、この体制は最も危険であることが分かった。これらの名門政治家の下、政権にはありとあらゆる意見を持つ人々がやって来るので、何らかの連合あるいは党に、信頼するに足る効果的な縦の繋がりが全く欠如することになった。

その他あらゆることを無視して、「国民の代表」たちは、自らの議員権限を自分に有利なビジネス投資として利用した。ウクライナの主要なテレビ局は次のような情報を全く公然と流した。「一万五〇〇〇フリヴニャ（一フリヴニャは約四円）、功績に対しては一万七〇〇〇フリヴニャ……議員の給料には涎が出るばかりである。副業で稼ぐことを考えると夜も眠れなくなる。議員証は巧妙な手にかかれば極めて儲かる手段となる。『国民の代表』のサービス一覧表はとても長い。最も月並みな仕事は議員の質疑で、会期中はいつもこの質疑から始まる。

国会というスーパーマーケットの主要な顧客はビジネスである。支払っているのは有利な縁故の利害関係者で、必要な法案の支援に支払い、入札事業の仲介に対して支払い、検事局、警察、税務機関からの援護に惜しみなく割り増し料金を支払っている。元議員はこう言っている。『自分たちはサービスの提供をしなかったが、まわりで数十万ドルのお金が動いている議員たちのことを聞いた……第一に、議員は何らかのビジネスの利益になる法案を出すことができる。第二に、法案に賛成票を投じることができる。第三に他の党派グループや委員会、議員グループと交渉することができる』

数年前、六人の議員票に二〇〇〇万ドル支払われたということを、元議員のデミンスキーは隠すことなく語っている。価格が下がるということはまずないだろうが、議員のサービス一覧表はより手が込み、より高額になった。しかしながら現役の議員たちは、その一覧表を公開することを拒否している。経済危機までは名簿に入るためには一五〇〇万ドルかかったらしいが、もしうまくいけば、いくつかの会議で損失を補うことができる。その場で捕まえることはできない。議員はお金を要求しない。彼はただお金を拒否しないだけだ……最も安いサービスは質問状を書くこと、あるいはビジネスのための特典を頼み込んで得ることである。このサービスで議員は千ドルから一万ドル受け取っているらしい。利用価値のある政治家に引き合わせるのは一万ドル以上かかる。最も値段が高いとされるのは憲法改正に賛成票を投じることだ。ここでは百万の掛け金となる。にも拘らず、料金表は留まることを知らない。『安定している』のは質問の価格の約一〇％ということだ[62]……」

何ともひどい事だ。各議員には無料の航空機での移動、自家用車、助手たちの雇用、電話代、メディアへの出演、設備の整った執務室に対する予算が出されているにも拘らず、これが現実である。つまり、国は最高議会に合法的に一〇億フリヴニャを使っているが、非合法の数百万フリヴニャは議員たちの制限のない、無統制な資金となっているのだ。

我々にとって明らかな物事が、気の毒な外国人たちにはどうしても理解できない。我々の議会で起こっていることは、文明化された世界ではロビー活動と呼ばれている。ロビーは英語から翻訳すると「玄関の間」。つまり、立法者たちの玄関の間には何らかの法の推進に関心のある人々、いわゆるロビイストが集まっている。通常、重要なロビイストとして活動しているのはビジネスグループで、彼らの政権との会話は先進国ではずっと以前に透明化され、適法である。組織化されたロビー活動の制度が出来ている。ロビイストの組織と政党、グループ、個々の政治家、政権の行政機関に選出された人々との関係の構図が出来上がっている。ロビー活動の結果や成果となるのは、一定の法律あるいは国政の決定である。

この現象を根絶することは不可能だという結論を早々と出し、ロビー活動を最初に合法化したのはアメリカ人である。よってアメリカや一連の他の経済強国においては、ビジネスの利害関係が何らかの特典や条例、法律にある時、政権の社会制度——議会、政府や他の省庁——の中でその全てを実現にまでこぎつける人間が雇われる。しかもその人の仕事は公開問答の形で行われ、その間、彼は政権機関だけでなくしばしば世論に向けて、何らかの法律の導入が妥当であり、国家の利益になることを証明する。つまり説得という方法をとるのだ。

事情に通じたウクライナの実業家にとって、議会の壁の外のロビー活動というのは滑稽に聞こえる。ウクライナのプロのロビイストはごく少数で、彼らは外国の投資家を持つ全ての会社を紹介しているが、それらの会社の予算には我が国の官僚たちへのサービス用の枠はない。

立派に変革を行ったり法律を作ったりするプロの政治家ではなく、個人所有のビジネスの代表者たちを、正に成り行きで、我が国の議会は大量に集めてしまった。ビジネスは先ず一番に綿密さと全体的な管理が必要なので、ビジネス議員が国会での職場をしばしば欠席するのを考慮して、彼らの代わりにボタンは党の同僚が押している。馬鹿げたことだ。このような状況は勿論、正常ではない。

ロビー活動についての法律が成立すれば、おそらく多くのことが解決できただろうが、我が国の議員たちはその法律がどんなものでなければならないか、まだ合意ができていない。ここでもう一度レオニード・クチマの言葉を彼の著書から引用したい。「ロビー活動についての厳しい法律の採択に向かって、我が国の議会はまだ長く歩を進めないであろう。厳しい枠の中に居るのは国民の代表には不利なのだ。彼らは最後まで抵抗するだろう。議会でどれだけ多くの質問がなされ、どのような結果になったか、様々な法律が三〇〇の投票数を集めたことを、私は良く知っている。我が国の民主主義、我が国の議会主義の厄災は、大統領から議員の助手に至るまで皆がすべてを知っているが、何もすることが出来ず、誰も捕まえることができないことにある。この状態は何年もかけて形成されたが、脱却するには何十年もかかるだろう」

議員の不可侵

我々は自分の価値を良く知っている。それはいつも我々の給料より高い。　ダニール・ルーディ

国民は多くの場合、法律による議員の責任追及を熱望していることが自明なので、議員の不可侵問題に触れないわけにはいかない。しかし先ずは、それがどのような結果をもたらすか、冷静に判断し理解する必要がある。私としては「議員の不可侵」についてのスローガンは全くのポピュリズムだと確信している。誰かが群衆に宣言して、実際にこれを根付かせようとしたことは多分ないだろう。知性のある議員なら誰でも、議員の免除特権が失われたらどんな結果になるかを理解している。

言うまでもなく、いくつかの制限は実際なくてはならないものである。何故なら、議員たちはかなり頻繁に公然と法律を無視し、自分の不可侵を悪用しているからだ。しかしここに見られる

のは、一般的な政治的、法的文化度である。実際、国会で法律を逃れている議員もいる。しかし、議員の免責特権を廃止すれば、その時にはウクライナの議会主義を全く消滅させてしまうかも知れない。

最初に法的な現実について少し考えよう。憲法では議員の不可侵を構成する二つの要素が区別されている。それは法的責任の免除と免責特権である。

法的責任の免除が意味するのは、国会議員としての自分の行動、即ち、法案やその修正案の提出、議員質問、議会の演壇からの演説、議院総会における様々な方法での投票、国会の諸委員会での発言や投票等々に対して、議員権限を行使する期間も、その期間が終わった後も、議員は法的責任を負わないということである。

免責特権が意味するものは議員の法的不可侵である。国民の代表は議会の同意なしには刑事責任を問われたり、拘束されたり、逮捕されたりすることはないということだ。一部の国々では会期の間の休会中は、そのような同意を国会の常設指導機関が出すことが出来る。それは法律に対する責任を議員が免除されるということではなく、単に、責任を問われる際に「議会の同意を得て」という特別な規定があるということだ。免責特権が保証するのは、議員の主権、刑事訴追による議員への圧力や拘留または逮捕の除外、不当な告発からの議員の保護である。その告発は先ずは行政権力側からのもので、行政権力は国会、特に国会の野党勢力としばしば衝突している。[63]

現在ウクライナで不可侵を利用しているのは国会議員だけである。地方議会の議員には適用されていない。憲法では法的責任の免除と免責特権は一つの専門用語「議員の不可侵」という言葉で表示されている。議員の不可侵は憲法第80条に明記されている。「ウクライナの国会議員には議員の不可侵が保証されている」（第1項）。

この条は議員の制限のある法的責任の免除を別に明記している。「ウクライナの国会議員は投票の結果、または議会や自身の機関における発言に対し法的責任を負わない。但し侮辱や中傷に対する責任は除く」（第2項）、そして何の制限もない免責特権は次のとおり。「ウクライナの国会議員は、ウクライナ最高議会の同意なしに刑事責任を問われたり、拘束や逮捕をされたりすることはない」（第3項）。

第80条の内容は引用された規定につきる。つまり、憲法はウクライナの国会議員の絶対的免責特権を保証しているということだ。国会議員は犯罪、例えば殺人の犯行の現場においてさえ、拘束できない。このような免責特権はどの民主主義国家にも存在しない。だからウクライナは、もし標準的な国家になりたければ、免責特権を制限しなければならない。

しかし議員の不可侵を全面的に廃止すると、政治家との意趣返しが際限なく起こる可能性がある。まして我が国の不完全な立法・司法部門を考えればなおさらである。

国会で国にとって重要な問題が決議される時、各議員の一票は注目され（採決の際、一票が決定的になることは時々ある）、警察官は誰でも国会議員に通りで会えば、彼の書類を調べ、個人の特定のために部署に引き渡し、悪くすると、ポケットの中に「白色の正体不明の粉が入った小袋」を「発見」し、それに続いて彼を麻薬不法所持で逮捕し刑事告発することを企むことができるということになってしまう。言いがかりをつける理由は何でも良いのだ！

わがままな国会議員に好き勝手をさせないためには、何をやっても良い状況となる。例えば国家元首なら、検察庁にしかるべき「委任状」を与えることは出来るだろう。ウクライナ国家安全保障防衛評議会は、議会野党勢力の行動は国家の安全の脅威であると簡単に結論付けるだろう。不可侵で保護されていない野党議員にとっては全てが悲惨な結果となる。「反ウクライナ的政治勢力」だとして議員たちを刑務所に入れることは、党派グループ全体で起こり得る。我が国の「独立した」裁判官ならなおさら、いつも「誰が家の主か」を敏感に感じ取る。他の国々の経験が議員の不可侵への様々なアプローチを物語っている。例えば米国、フィリピン、ノルウェーやベルギーでは、議会の会期の間だけ議員を逮捕してはならない。英国、カナダ、オーストラリアのようないくつかの国々では、会期の前後に追加の四〇日間の免責特権が議員に与えられる。議員を刑事告発したり、彼の持ち物を検査したり、捜索を行うためには、大多数の国々では国会、彼の個々の諸機関または彼の指導部の許可が必要である。[63]

一部の国々では犯行の現場で議員を逮捕することが出来る。オーストリアの国会のメンバーは、もしそれがその議員の政治活動と関係がない場合には、刑事告訴される可能性がある。ロシア、ドイツ、スペイン、イタリア、メキシコ、ブラジル、エジプトでは、議員は国会の会期中は免責特権を有している。しかし国会は彼らの不可侵を剥奪する権利がある。一方アルゼンチンやインドネシアでは、どんな状況下にあっても議員の不可侵を剥奪することは出来ない。

ロシア連邦の国会議員は、彼らの権限がある間はずっと不可侵を有している。彼らは犯行の現場で拘束された場合を除いて、拘束や逮捕、捜索をされることはない。不可侵の剥奪についての問題は、ロシア連邦の検事総長と連邦議会のしかるべき院の報告書によって決定される。議員が自発的に自分の不可侵を拒否する可能性は想定されていない。もし議員が不可侵を剥奪され、彼の事件が法廷で審理されているなら、彼の地位は、どの一般市民の地位とも同じである。[64]

チェコでは議員も上院議員も、院やその機関で行った投票や声明に対して責任を負わない。国会議員は刑事犯罪を犯したことで、彼が所属する院の同意なしに有罪となることはない。もし院がこれに同意した場合、国会議員は免責特権を剥奪される。もし院が自分たちのメンバーに関する手続き開始に同意しなければ、院の決定が最終決定である。国会議員は犯行の現場で捕まるか、あるいはその直後であれば逮捕され得る。

ドイツにおいても同様の状況である。議員は処罰に値する違反行為に対して、ドイツ連邦共和国連邦議会の同意なしに責任を追及されたり逮捕されることはない。但し彼が犯行の現場で、あるいは翌日に捕まった場合は除く。連邦議会の許可は、議員の個人的自由の如何なる制限についても不可欠である。議員に向けてのあらゆる司法事務、拘束あるいは他の彼の個人的自由のあらゆる制限は、連邦議会の要求によって中止されなければならない。議員には自身の不可侵を拒否する権利はない。

イタリアでは状況は少しばかり異なる。イタリア共和国の憲法第68条は国会議員への免責特権の供与を保証している。国会議員に関する刑事の司法手続は制限なく開始されるが、院の一員である国会議員の個人的自由の制限措置は、院によって認証されなければならない。議員は自身の免責特権を拒否することは出来ない。国会議員に関して行われる司法手続きは、国会における彼の仕事に影響を与えない。

ベラルーシとカザフスタンでは免責特権は重い犯罪には適用されない。「自分の権限がある会期の間、下院議員と共和国議会のメンバーは、しかるべき院の事前合意があれば逮捕されたり、さもなければ個人的自由を剥奪されることがある。但し、国家反逆罪、あるいは他の重い罪を犯した場合、また犯罪を犯した現場での拘束は除く」（一九九四年ベラルーシ憲法第102条第2項）。「国会議員は自身の権限がある会期の間、しかるべき院の同意なしに逮捕されたり、拘留、行政罰の措置、裁判での罰金、刑事責任の追及に遭うことはない。但し、犯行の現場での拘束、あるいは重い犯罪を犯した場合は除く」（一九九五年、カザフスタン憲法第52条第4項）。

以上のように結論として、議員は普通の市民より、より高いレベルの法的保護を受けるべきである。何故ならば、自身の活動の結果、彼には国会の中にも、その外側にも悪意ある人々や反論する人々がかなり居るからだ。より高いレベルの法的保護は抑圧や起こり得る挑発、根拠のない拘束、逮捕、刑事告発を回避するため、そして国会議員の直接の仕事である立法活動における独立した立場を保証するために不可欠である。

さらにもう一つの側面がある。国会の内部では絶え間ない言い争いや殴り合いがあり、争議を力によって解決することも稀ではない（外交的な訓練が欠如しているので、どうやら殴り合いの方が便利らしい）。ロシアでは最近このことに関して多くの討議が行われ、特別な権利保護部隊を導入することが提案されたが、その任務にあたる官吏（国会の衛視）は国会議員に力を行使する権利（義務も）を持つことになる。[63]

政治における非議会的方法の数々（演壇傍での殴り合い、椅子で作ったバリケード、壊されたマイク、封鎖された配電盤）を根絶したいという願いからこのようなことが必要となった。このような非議会的方法の数々はある議員グループが、ある議決の採択を許さない、もしくは反対に採択を保証するために根付かせている。

かくして、政治的自由、議員の自由を制限するためではなく、このようなならず者の行いから防御するために、国会の衛視の仕事はなされなければならない。しかしながら今のところこのアイディアは議論の形でのみ存在する。評価すべきは、これらの問題がロシアの国会ではすでに審議されていることだ。ウクライナではと言えば、我が国の国会議員に全く都合が良いのは、決定方法を選ぶ自由があることだ。

一方ウクライナの国民にとっては、それが中継される夜のニュースのただ一つの楽しい瞬間で、大多数の視聴者がそれを喜んで見ている。

第七章

政治体制の交代・結果

私、ヴァルヴァーラ・アンドレーエヴナは大体において民主主義の敵対者です。――（彼女はそう言って顔を赤らめた）。――一人の人間は本来的に他の人と平等ではありません。そしてそれは仕方のないことです。民主主義の原則はより賢く、より才能があり、より仕事ができる人々の権利を制限し、彼らを愚かで無能で怠惰な人々の浅はかな意志によって評価する。何故なら社会にはいつだってそういう人の方が多いのだから。私たち同国人はまず初めに無知・無教養な習慣をやめ、国民という称号を持つ権利に相応しいものとなるべきです。そうなったら議会についてちょっと考えても良いでしょう。（出来事は一八七七年が舞台となっている）　ボリス・アクーニンの作品から

民主的思想の出現の歴史

民主主義――それは堕落した一握りの人々によって政権が任命されるのではなく、無教養な大多数の人々によって選ばれることを言う。

ジョージ・バーナード・ショー

辞書によれば、民主主義（ギリシャ語の demokratiar ―人民の政権、demos ―人民、kratos ―政権から）は現代の理解では、憲法と法律の支配、人民主義、政治的多元主義、国民の自由と平等、人権の優位といったような原則の認定に基づく国家の統治形態である。それは権力を配分する共和政体によって、発達した人民代表制によって実現する。またそれは国家の出現と共に生じた（古代アテネ）。

現代社会では少数派の権利保護の条件の下での多数派の政権、主要な国家機関の選挙による任命制の実現、国民の権利と政治的自由の存在、国民の平等、法の支配、立憲政治、権力の分配を意味する。直接民主制（主要な決定は直接、全国民による国民投票、集会などで採択される）と代表民主制（代表機関や議会などによって決定が採択される）は区別される。民主主義制度の最も著しい発展は法治国家で得られる[65]。

現代のわれわれの理解では、民主主義は古代ギリシャで出現した。ついでながら、正に同じ頃、民主主義は今日のウクライナの地でも広がり、長期にわたってその影響を残した。正に民主的原則をコサックは利用していた。民主主義からウクライナ人のいわゆる共和国的精神が生まれ、まさに我が国の領土に根付いたのだ。というのも当時の我が国以外の隣国は皆、厳格な君主制の政権制度だったからだ。そして正に民主的体制が、ウクライナの地で紆余曲折を経て発達し、古いヨーロッパやロシアの君主国にとってウクライナを危険な国にした。実を言えば、これがウクライナが絶えず植民地化した理由の一つである。

しかし、古代ギリシャは民主主義発達過程の公認の始祖であるにも拘らず、その民主主義は本質的に不十分なものであったことを指摘しなければならない。

完全な国民の権利を持てたのは生粋のアテネ人だけで、女性や奴隷は国民の集会に参加する権利がなかった。つまり、アテネの人口の一％だけに国事の決定に直接参加する機会があったのだ。この状況下、アテネの都市国家をすぐさま危機が襲った。というのも、裕福な国民が権力を握るために貧しい国民と争い始めたのだ。当然、これが理由で再び専制政治が復活した。民主主義体制の結末はこのように伝えられている[66]。

ついでながら、人類の最も優れた知性は、民主的統治形態に古代から否定的な評価を与えてきた。古代の哲学者たちは当時既に、人民の国家統治の有効性を否定していた。例えば、ソクラテスは民主主義の容赦ない反対者で、奴隷を所有する貴族政治の信奉者であった。彼の考えは、正直さと知識は貴族階級の人々の特権であり、「農民やその他の労働者は賢くなれない」ので、国家統治への参加を許してはならない……というものであった。彼の考えをプラトンは自身の書物でさらに仕上げ、民主主義というのは群衆、卑しい庶民階級の政権であると指摘した。プラトンによれば民主主義は専制政治と共に最も容認しがたい国家統治形態で、いわゆる衆愚政治、群衆の政権である。

ドイツ古典哲学の偉大な人物、ゲオルグ・フリードリヒ・ヘーゲルは、人民の国家統治への直接参加は、この人民の特性そのもののせいで達成し難いものだと考えた。曰く、「自身の君主を持たない人民ははっきりとした形のない大衆で、その大衆はもはや国家ではない」ので、決して主権を持たない。このようにしてヘーゲルは、社会・政治体制の立法的変革を決定する権利を人民に認めなかった。

国家統治に参加する権利が人民に存在することに反対する人々の中で、カール・ヤスパースもまた特筆に値する。このドイツの研究者は人民を「大衆」と名付け、大衆とはお互いに繋がりのない人々の集団であるが、彼らは自分たちが結合する時、何らかの一体性を示すと記している。大衆は「自分たちの思想を全体として示すが、その思想は個々のいかなる人間の思想でもない」。その思想は、カール・ヤスパースの言葉によれば「世論」と呼ばれるが、それは「全ての意見の虚構である」[66]。

このように、哲学の巨星たちによって集められた長年の歴史的経験は、その子孫たちに民主主義の破滅的な結果や、全人民による統治などあり得ないと警告している。そして大体において人類は、真の人民政権の形をしたアテネの民主主義のことをかなり長い間思い出さなかった。しかし二〇世紀の後半、民主主義思想は何よりもまず独裁統治の唯一の代替案として復活した。

民主主義は米国でスタートし、かなり速い速度でヨーロッパの人々の間に広まり、もっと後にはソ連邦崩壊の刺激剤となった。そして一九七〇年に政権が国民によって選ばれたのは三〇ヶ国であったのに対し、二〇〇五年には既に一一九ヶ国になった。

ついでながら興味深い事実がある。ヒットラーの全体主義的独裁政権は民主的手段によって樹立された。同様の手段で今、ロシアに独裁体制が復興しつつある。

ロシアの民主主義

思ったことは全て言ったり書いたりしても良いが、思うことには気を付けなければならない。

ノラ・フォン・エルツ

ロシアは「皇帝の民主主義」、あるいは「ソフトな独裁政治」の道を歩み始めたと言えるし、この判断は絶対的に正しいと思う。この二つが相俟って、強く責任ある国家権力と統合して、民主的思想をしっかりと結合させている。しかしロシア社会は秩序を保証し得る独裁政治を意識的に優先した。

ロシアでの政権の創設や承認はリーダーの決定的な役割を基に行われてきたが、そのリーダーの背後には諜報機関が存在するということを指摘すべきだろう。エリートの分野におけるロシアの主要な専門家、オリガ・クリシュタノフスカヤの評価によると、「シロヴィキ（治安部隊）」、主に国家保安機関の勤務員の比重は、政権内で一九九九年に一三%だったのが二〇〇八年には四二％まで上昇し、一部の部門では七〇％にまでに達している。

ウラジーミル・ゴルブリンは自身の著書『悔い改める権利がない』の中で次のように指摘している。「ロシアの体制の樹立や機能化の基盤で大きな役割を果たしたのは、正教・秘密警察員と共にポピュリスト体制を公然と喧伝する仮想的政治戦略である。一方、全地球規模の国家の最高権力は諜報機関の幹部職員、先ずはソ連邦の国家保安委員会の中級諜報員に属している」

国家保安委員会の役割、およびソ連邦におけるその威力、ましてや工作員の特殊な精神的訓練について改めて語る必要はないと思う。自身の利益を守るクレムリンの厳重な防御は、現在および以前のロシア領土の一部地域における、武力を用いたロシアの様々な政治的衝突の説明にもなっている。

しかしながら、ロシアのような強力な国家が、自身の管理下にある広大な地域の経済的・政治的全機構に対して、指導上厳しい態度や全体的管理を必要とすることは認めざるを得ない。歴史的に継承された帝国の原則に基づかなくとも、巨大な多民族、多信仰の強国に秩序をもたらすことは非常に困難なことであり、民主的な原則はここでは大きな損害を与えるだけであることは理解しておくべきである。

独裁政権を非難しつつ、自身の著書『反抗分子の懺悔』でボリス・ネムツォフは次のように書いている。「ロシア帝国の伝統——それは皇帝が居て、彼は誰よりも優れていて、彼の意志は法よりも重要だというものである。そしてあえて自分を守り、自分の利益を守ろうとする人は極めて少ない……。専制政治、独裁体制の特徴——それは政治的リーダーの不在である。ロシアにはたった一人の、偉大で力の強いブロンズ像化したリーダーが住んで働いている。残りの人たちは政治的に取るに足らない人々である」。次の言葉も彼の言葉だが、それはプラハでの公開演説の一つで語られたものである。「問題は、人々が自由のために、民主主義のために、血を含め代償を支払わなければならないことにある。自由と民主主義をロシアは無償で手にした。血を流すことなく。無償で、血を流さずに得たものを、国民は評価しない。もし戦車が一九六八年にここであったように、赤の広場を走り回り人々を押しつぶしたとしたら、多分、国民は自由と民主主義を評価しただろう。戦車は決して赤の広場を走り回ったり、人々を押しつぶしたりしなかったので、民主主義を誰も評価しないのだ[67]」

大変断固とした厳しい発言だ。このような発言の後では、政権をさらに強くしなければならない。しかし一連の哲学者や作家はこれに代わる見解を述べている。

ドミトリー・ヴォロジーヒンは本能のレベルで民主主義の枯渇を指摘している。「自由主義、全地球主義、そして民主主義という言葉は、巨大な大衆や知識人の大部分に、本能のレベルで拒否というのではなく、それはもう終了した段階だという気持ちを起こさせる」

哲学者アレクサンドル・ピャチゴルスキーは次のように強調する。「民主主義、それは既に形のない遺物となった神話である。正にその中に私は特別な脅威を見出さない。それはずっと昔にそのメカニズムを失い、ずっと昔にレトリックに移行し、レトリックはデマへと移行した。それは神話だが危険ではない。この神話はずっと昔に手垢のついた神話となった。もっとはるかに危険な神話がある」

作家のミハイル・ヴェーレルは、民主主義を何か特別な、独自の価値を持つものとして区別はしていない。「民主主義も、独裁政権も、資本主義も、社会主義も、最終目的ではないし、人生のあらゆる場面に起こる不幸の万能薬でもない。歴史上、共通の処方箋はない。ここで今、より良く、即ち、公平に、暮らしに困らず、幸せに生きることができているのは全く素晴らしいことだ。それ以外のものは全てろくでなしのデマである」

民主主義が何故ロシアに根付かないのか、その理由を多くのインテリがそれぞれに強調している。政治学者のアレクサンドル・ドゥーギンは次のように大衆の特徴を強調している。「ロシアは愛国的な大衆が住む国である。従って西欧支持のエリート（彼らはそれなりに存在し活動している）は、自分たちの優位性を公然と述べることができない。大衆は彼らを倒すだろうから。これを（民主化への）過程全てを望み支持している外国人たちが理解できないはずがない。自由主義や民主主義への大衆の信頼もまた底をつき、そのようなスローガンで人々を導くことはできない」

ロシアのエリートの共通した意見は、民主主義が文明的に終了した状態であることに立脚すれば継承されないこと、その結果、社会政治関係が命運尽きた形で消滅しているということである。ロシアに民主主義が根付く見込みについて大統領府の職員S・コルドンスキーは次のように語っている。「我々は民主主義について話しているが、国の歴史の全ては、民主主義はロシアに根付いてきた制度ではないということを示している。よって、民主主義を待ち望むのも、その構築に努力を傾けるのも妙な話である」[67]

これ以上付け加えることは何もない。

しかしながら、ロシアはソヴィエト後の広大な地域にあるただ一つの独裁国家ではない。独裁国家に数えるべきはベラルーシ、カザフスタン、そしてウズベキスタンである。

世界における民主主義・西洋

事実は動かしがたい。

トビアス・スモレット

このテーマを続ける上で言及しなければならないことは、現在、旧ヨーロッパや英国、米国で民主主義の「成功」への失望が目に見えて増大し、それは、危機と関連する公算が大きいことだ。しかもその過程は東ヨーロッパやアジア、アフリカ、ラテンアメリカでの発達途上の民主主義下で観察されている。

民主主義の発達に影響する二つの要因がある。

一、文明の技術的基盤の革命的変化。生産手段の進歩（イノベーションの普及）は政治エリートたちの手に、社会意識を操作する上での極めて有効な道具をもたらす。これが選択の自由に疑いを抱かせる。

二、グローバル化。「黄金の十億」と「貧困地域」への世界の分裂、紛争地域の出現、世界の国際法の制度としての国連の危機[68]。

一番目の問題だが、言論の自由のように重みのある民主主義の原則の一つが、現実の世界で果たして存在するのかという疑念がある。現在、大衆を操作する最も効果的な手段はジャーナリズムとテレビ放送なので、社会意識に強力な影響を与える手段として、この通信チャンネルに政治エリートが目を付けずに放っておくはずがない。それ故、産業・金融グループがマスコミの獲得と創設に必死になるのだが、それらの情報の流れはその後全面的にコントロールされる。対抗するマスコミは攻撃的につぶされるか、インターネットに追い出される。このように、マスコミを通した世論操作のため、国政に関して解決が不可欠な諸問題に、有権者はしばしば十分な知識を持てないでいる。

二番目の問題だが、グローバル化の過程は、国の内政状況を政府が統制する力に歯止めをかける助けとなる。現代において国民国家の主権と不可侵の原則は事実上崩壊している。国家権力が、いわゆる超国家的世界機関の指導下に移行する傾向が見受けられる。ロベルト・ダリが指摘したように「グローバル化した国家が民主的価値への忠誠を保つことができるのか、あるいは民主主義は国境と共に死んでしまうのかという疑問に、答えを与えてくれるのは時間だけだろう」。結果として、国の政治エリートは多国籍組織に編入し、その地域支部となる。これら全てゆえに、政治エリートは国益や社会通念から遠去かって行く。[69]

この七、八年、主な民主主義の原則に直接、あるいは公然と違反する傾向が世界中で観察されている。これは、グローバルな反テロ戦略のためと称して保安組織側が市民の政治的権利を削減しようとし、民衆の行動を管理しようとするものだ。安定した民主主義の国々においてさえ、社会の雰囲気を形成するリーダー、政治家、企業家、ジャーナリストやその他の政治的に活発と見なされる市民が、諜報機関勢力によって監視されている。保安局は警察や税務署、電話・輸送会社、インターネットのプロバイダー、保健省、つまり、個人の私的な生活の核心を示すようなデータにアクセスする権利を持っている。[70] これは全体主義的民主主義と呼ぶことができる。

この全体主義的民主主義は米国で特に顕著に示されており、主に基本的人権、何よりも私的な生活への権利の侵害という形で現れている。例えば、優れた社会活動家、外交官、そして頻繁に海外渡航している私人の個人的な電話の盗聴、郵便物の管理は米国社会にとって普通の現象となってしまった。しかし最も興味深いことは、市民自身が安全や快適さの保障と引き換えに自由を放棄して、侵害行為に反対していないことだ。社会は、民主主義の基本的原則の夥しい侵害に黙って同意している。これは民主主義だろうか?

米国やイギリスでは民主主義の歴史が数百年に達し、正にこれらの国で民主主義の危機が急速に始まっている。現在の米国は、国民主権の基本的存在条件の危機を既に経験している。というのも、大衆は民主主義への疑念を抱いており、富の偏在による階層化が進むことで、政治制度の機能障害が増大し、絶えず汚職のレベルが上がり、社会のモラルの低下が進み、民族間や人種的な緊張が高まっている。

アメリカ社会の最も恐ろしい傾向の一つ、それは民主主義への失望である。第一の兆候は、選挙に参加しない市民が大きな部分を占めていること。特に心配なのは、米国の若者の間に政治的無関心が広がっていることだ。一九六六年に政治問題に関心を持っていた若者の割合が五八%だったのに対し、一九九七年にはたったの二七％であった。アメリカの民主主義の全体主義的特徴については前述したとおりである。

結局、米国の民主主義の危機は、一体何をもたらすのだろうか？　様々な予測が可能だ。著書『進化はどのように機能するか』を書いたアメリカの学者アルベルト・ソミットとスティーヴン・A・ピーターソンの意見によれば、独裁政権の樹立を伴う反民主主義革命が起こる公算が大きい。そして著者が言及しているように、それは次には世界中で同様の革命を誘発させるだろう。今後、権威主義的、独裁体制が世界地図を形成し、我々は競争する独裁政治の世界を見ることになるだろう。

「様々な統治形態が取って代わり一巡する」という統治体制の周期論に依拠するなら著者たちに同意できる。[71]

世界における民主主義・東洋

君は自分のことを自由な人間だという。何から自由なのか、あるいは何のための自由なのか？

フリードリヒ・ニーチェ

民主主義について語りながら、アジアで往時の覇権を獲得しつつある中国に言及しないわけにはいかない。ダイナミックに発展している経済や巧みな外交術、軍事的雄弁術の緩和のお蔭で、中国は現在、超大国として米国に拮抗する役割を担う最も確実な候補となりつつある。

民主主義に関して、中華人民共和国全国人民代表大会常務委員会委員長の呉邦国は「様々な党が政権交代している西側諸国の制度を、中華人民共和国が模倣することは決してない」と述べた。六十七歳の呉邦国は国家主席であり共産党総書記である胡錦濤に次ぐ第二の人物であることを書き留めておこう。[72]

現在、中国の継承順序は二つの原則に基づく。

一、リーダーは大体六十歳でそのポストに就き、七十歳で定年退職しなければならない。

二、継承者は主席交代の五年前に共産党最高機関によって選出されるが、それはその継承者の登場が人民やその他の世界にとって突然なものとならないよう、また継承者自身が経験を積むことができるようにするためである。

公開の競争、候補者間の討論、そしてこの選出過程への一般市民の参加を、この制度は想定していない。

BBCの北京特派員は自身のブログで、明らかな皮肉と共に中国の国会についての印象を次のように伝えた。

「世界で最も多数の（三〇〇〇人の議員）中国の国会は、一年に一度、全員が参加して会議を開催している。従って、国会開会の日に天安門広場にあるスターリンのアンピール様式の壮大な建物にバスで到着した議員たちは、まず初めにその階段で記念写真撮影に取り掛かった。朝の九時きっかりに会議場で軍の音楽隊が大音響で演奏を始め、舞台に政治局のメンバー、即ち総書記・

国家主席の胡錦濤が少し先に進み、その他のメンバーが一塊になって後に続いた。指導者たちは歩きながら音楽の拍子に合わせて手拍子を打った。これが一日の間で最も激しく感情が表れた場面となった。議会における雄弁は中国では尊敬されない。経済状態の報告のための発言を認められた温家宝首相は、熱心な学生のように話した。この地方の理解では、素晴らしい報告というのは数字が盛り込まれ、同じトーンで読み上げられなければならない。議員たちは、前もって配られた温家宝のテキスト通りの演説を見守った。報告者が演壇でページをめくると、会場中にページをめくる音が響き渡る。というのも、三千人が同時に同じ動作をするのだから。新聞記者席からは、全ての人が二時間の試練に耐えている訳ではなく、こっくりこっくり居眠りを始めた人も居るのが見えた。会議は八日半続く。会議における討議は予想されない。中国における国会の会議は採択するためではなく、前もって狭い社会で決められたものを公布するために召集されるのだ[72]」

終わりにあたって、前ウクライナ大統領レオニード・クチマが、自身の著書『マイダンの後』で書いた中央軍事委員会前主席、江沢民との興味深い会話を紹介させて頂きたい。「彼は教師が生徒にするかのように、私に辛抱強く自国の国民経済の改革のいろはを説明した。一見したところ、その理由は平凡で、その方法は単純である。政治体制は壊されなかった。一歩の前進もなく、世界の経験を学ばず、中国の特性、その人民のメンタリティーに応じて作用するであろう何らかの新しいものを何も付け加えなかった。そして江沢民は少し沈黙し、ほんの少し微笑んでクリントンと自身との会話を私に紹介してくれた。クリントンは中国における人権について、言論の自由について、『手綱を放す』と次に何が起こるかについて、彼と話し始めた。素晴らしい！と彼はクリントンに答えた。『そうしましょう。全て放しましょう。全ての人を放しましょう。明日には中国人の半分が貴国の人となるでしょう。あとの半分の人たちはアメリカ人用のパンツやランニングシャツを縫うのを止め、先の半分の人たちからのドルを待つでしょう』。クリントンは頭を掻いてこう言った。『どうやら、そんなことは我々には必要ない』。彼は米国に居る五億人の中国人を、ありありと想像したようだ」。

それにも拘らず、民主的自由への無礼な態度が明らかに米国を不安にさせているので、中国（もっとも、ロシアとベラルーシもそうだが）は米国の「最重要注意対象」の国々のリストに含まれ、前国務長官コンドリーザ・ライスの言葉によれば、人権と民主主義を擁護するアメリカ基金がその国々に対して、民主主義の自由な発展に援助を行うそうだ。しかも二〇〇九年のそのような援助には、おそらく六〇〇〇万ドルが割り当てられた[73]。

ついでながら、民主主義はイスラムの国家体制と絶対に相容れないことについて言及しないわけにはいかない。歴史学の博士でロシア行政アカデミーの宗教学講座教授であるガシム・マンマドヴィッチ・ケリモフは自身の結論で次のように指摘している。「イスラムの教えに従って人々は法律を作らず、神の法を現実の場に適用している。従って政権は執行権力、行政権力、司法権力にはなり得るが、立法権力にはなり得ない。立法者とされるのは神のみである。イスラムでは権力の執行機関と立法機関の間に矛盾はあり得ない。何故ならそれらは実際、神の法の執行者であるからだ。従ってコーラン（イスラム教の聖典）とスンナ（イスラム教の口伝律法）がイスラム教の国々の憲法の主な典拠であると言って良い。国家権力の全ての部門は、イスラム教の観点からすれば、同じ源泉「神の法」を基礎に一致して行動することが出来る。イスラムの社会理論は国家機構を神が構築されたものとして見ているが、個人の所有物は不可侵であると言明している。宗教に承認されていない政権は信頼できないと宣言され、神学者は宗教の国家支配を要求する。しかし宗教の国家支配は、聖職者が必ず何かの国家的ポストを占めなければならないということではない」

以上のように、民主主義の実験により関心があるのは西側世界で、一番関心があるのは米国だと確信をもって言える。これは十分に説明できる。多民族で多信仰のアメリカの基礎には、最初から民主的原則が置かれているからだ。しかも国家のレベルでの何世紀にも渡る伝統的文化という概念は米国には原則として存在しない。同権や思想の自由が歴史的な伝統にそぐわない国々に、自国の文化遺産で一体何をしようというのか、深く考えなければならない。

民主的なウクライナ

私は国民と合意した。彼らは望んでいることを話すだろうし、私は望んでいることを行うだろう。

フリードリヒ二世

現在のウクライナの政治体制は、どれほど民主的なのか？

ウクライナ憲法第1条に立脚すれば「ウクライナは〈民主主義の〉国家である」。第5条によれば、ウクライナは共和国である。ウクライナにおける主権の担い手と権力の唯一の源泉は国民である。国民は直接的に、また国家権力と地方自治体の諸機関を通じて権力を行使している。[74]つまり、ウクライナの基本法は、国家の発展方向における優先原則として民主主義の原則を承認している。

フリーダム・ハウスが行っているNation in Transit ― 2007の格付け結果によれば、ウクライナの民主主義の発展は、独立国家共同体の諸国の中で最高レベルにある。ウクライナは七（盤石な独裁体制）から一（盤石な民主的体制）の等級の中で四・二五の格付けを持っている。以下にその基準と、一から七の等級の中でウクライナが得た相応の評価を引用する。

選挙過程――三
市民社会――二・七五
独立したマスコミ――三・七五
国レベルでの民主的統治――四・七五
地方レベルでの民主的統治――五・二五
司法の独立――四・五〇
汚職のレベル――五・七五

ウクライナの主要な成果だと判断できるのは、市民社会、言論の自由、選挙過程といった民主的な制度の発達であることが分かる。しかも、選挙過程の民主的指標が少しずつ良くなり始めたのは、二〇〇五年になってからであったのに対し、市民社会の発達とマスコミの独立の指標は、二〇〇〇年と比べて著しく改善し、絶えずポジティブな変動を示している。

フリーダム・ハウスの他の格付けであるFreedom in the World —2008は政治的権利と市民の自由という二つの評価基準で行われたのだが、それによれば、ウクライナは独立国家共同体の諸国の中で「自由な」国々の範疇に入る唯一の国である。七（自由の最低レベル）から一（自由の最高レベル）の評価等級によれば、ウクライナは政治的権利の保護レベルについて「三」を、市民の自由のレベルについては「二」の評価を受けた[75]。

実際、独立国家共同体の中でウクライナは最も民主的だと正当に認められているし、社会の民主化に関するウクライナの成功は疑いのないことである。しかし現在の段階において、民主主義の副次的な結果がさまざまな形で現われている。

政治的状況は現在に至るまで「安定した不安定」状態に留まり、政治的危機はウクライナ社会にとって普通の現象となっていたので、今度はそれが経済の成長度に影響し、ウクライナの経済の発展を妨げている。

政権のあらゆる分野におけるかつてないほどの汚職の拡大は、独立国家共同体の諸国にとって固有のものであるが、ウクライナもまたそれを避けることはできなかった。フランスの政治学者アラン・コッタは、市場関係の発達は汚職の「無統制な民主化」の過程を伴うと認めている[76]。

国家の汚職の事実そのものが既に民主主義に反している。統治形態としての民主主義の最も重要な特徴、それは法治国家である。しかし、もし法律に違反した犯罪者を司法機関が罰しないとしたら、ウクライナの法の支配を果たして確認することができるだろうか？　結果として、法律に違反した公務員、用心深くないドライバーや施工主に関して、民衆の間で私刑を実行し市民たちが自ら裁判を行っている。抗議の極端な形態としての私刑は、自分の権利を法的な方法で守ることが不可能であることの結果である。[77]

ウクライナのマスコミ、新聞雑誌やテレビ局はまだ世論形成の手段の座を保っている。その上、マスコミの大部分は一定の視点を押し付ける目的で、政治の主体（政治的リーダー、党）の管理下にある。従って言論の自由は事実上制限されており、現にウクライナの全地域の七二七人のジャーナリストへのアンケート結果によれば、八六％以上が政治的検閲の存在を認めている。市民の八割方がジャーナリストの職業を危険だと見なしているのは偶然ではない。[76]つまり言論の自由と同様に、選択の自由も事実上制限されている。

このようにウクライナは、かなり高いレベルで民主主義が発達している国として、既にその否定的な結果も認識している。尤もな疑問が生じる。ウクライナに民主主義は必要だろうか？　民主的統治形態を樹立することに意味があるのだろうか？　実際に民主主義は我が国にとって最良の統治方法なのだろうか？

民主主義は、明らかに矛盾する現象を結合する試みを避けることはできないと思われる。すなわち、法の統治と特別な利益の代表機関との結合であり、人間の意志への尊敬を担保しつつ同時に正義についての大多数の理解に沿った社会を構築するという試みである。

しかしながら民主的手続きでの市民参加の危機は進行している。民主主義への社会的失望が起きている。ウクライナの中央政権の、例外なく全ての制度に対する不信のレベルは、現在八〇%から九〇%の間を推移していて、国会の場合には反感が九八%に達している。[78]

ウクライナ国民の大半にとって、民主的価値もまた実質的な意味がない。ここに「ウクライナの選択の認識」の研究結果があるが、これは年次プログラムの「選択の精神的基盤」の枠でゴルシェニン大学が行ったものである。四六%のウクライナ人が言論の自由は自分にとって実質的価値があると考えている。自由な往来と居住地の選択の権利に対しては四〇%が価値を認めている。政治や政権について自分の意見を公言する権利を評価しているのは三五%で、自分の判断で選挙に投票する自由を評価しているのは三人に一人である。[79]

民主主義を危機に導くもう一つの道が議会主義制度である。各党は国家やその運命について考えているのではなく、自分たちに投票する人たちのことを考えている。選挙民を満足させなければならない。果たせなければ次の選挙で敗北を招くことになる。ここで考慮されるのは国家に必要なことでは最早なく、社会の様々な層の要求なのだ。[80]

また民主主義の矛盾は、国家が必要とすることよりも、有権者の社会的要求を優先することにある。幅広い大衆が自分の財政状態が簡単に早く良くなることを夢想する。減税、労働条件の改善、学歴不問、楽な出世、すぐに金持ちになる……といった夢想だ。国家権力の諸機関は国民の支持を得て政権に留まるために、国家全体の優先事項はさておき、何よりも先ず社会政策を行うことを求められるということだ。

では最後に、もし有権者の九〇%が国務に関して自身で判断する能力がないとしたら、一体どのようにして国民大衆が統治することができるのだろうか？　国民の大部分は実際、国家の諸問題についての正しい知識を持っていないのだが、彼らは通常の国民投票でそれら諸問題を解決することを求められるのだ。

結論として、民主主義体制は不完全で、多くの本質的欠陥があり、未来はないという公算が大きい。

今後ウクライナにはいくつかの発展形態があるだろう。米国に似た全体主義的民主主義のような民主主義の一種が根付くかもしれないし、ロシアに似た独裁政治への段階的移行が実現するかもしれない。それとも、今日存在する全てものとは異なる新しい、絶対的に革新的な発展の道がついに根付くかもしれない。

体制変革にかかる時間の長さ

進歩はおそらく悪いものではない。しかしそれが長引くと辛い。

オグデン・ナッシュ

「一九九一年まで何年ウクライナは独立国だったのですか？　二〇分⁉　あなた方には全く経験が不足しています。私たちの米国を御覧なさい。私たちもまた帝国の一部でした。一七七六年に私たちの国では革命が起こりました。多くの人々が亡くなり経済が破綻しました。その後、連邦制度にまつわる大変な意見の相違を克服し、憲法を制定するまで一三年を要しました。その後南北戦争があり、その戦争で亡くなったアメリカ人の数は、それ以前と以後にアメリカが行った全ての戦争での死者数よりも多かったのです。我々は有頂天になるべきではありません。我々は二三〇年独立を保っていますが、今に至るまで南北の間に緊張がありますし、人種問題も解決していません。我々の民主主義は理想とは程遠い。我が国には依然として汚職が存在します。失望しないで下さい。あなた方は始めたばかりで、もう多くのことを成し遂げられたのですから」。これは米国のブルッキングス研究所長、ストローブ・タルボットが雑誌『エキスパート』のインタビューで語った言葉である。

また同様に、一九九〇年代初めに民主的レトリックを身につけた東ヨーロッパの国々の政治エリートも、国家統治においてウクライナより多くの間違いをしでかした。大衆の茫然自失は、民主的傾向と独裁的傾向の矛盾した結合と共に、共産主義後の国々の全てのエリートが抱える問題であった。民主化に適応していく時代は全体として、その時代に特徴的な汚職や違法行為と共に、ウクライナのその時代を強く思い出させる。

専門家たちは、すでに数年前に東ヨーロッパの状況に次のような評価を与えていた。「政権は闇の政権だと受け取られているが、それは多分二つの事情によるものだろう。政治の政党化と政治的クライエンテリズム（政治家が特定のビジネスのパートナーとなって政権を握り、その権力を利用して顧客に有利な機会を与えること）である。二つの現象は本質的に公共政策の「範囲」を狭める。党制度の歪んだ発達は狭いエリート（しかも半犯罪的でさえある）集団による政界の簒奪を促進し（ポーランド、スロバキア）、政界からの国民の疎外を促す。ハンガリーとチェコでは、唯一の差異のある効果が見られる。唯一の差異というのは、政権党が市民社会の政党外の組織構築を制限していないということだ[81]。

また、このような状況は政治制度への国民大衆の不信を招き、その制度の影の性格を確信させる。西側諸国の民主主義の成果に基づいた急激な民主化と、西側諸国の長期に渡る発展を一足飛びに乗り越えようとする試みは現実的ではなかったのだ。結果として、社会構造的、政治制度的アプローチが示すように、政治制度は民主的、独裁的、権威主義的要素と形態の様々な組み合わせに変形していった。

かくして、世紀初頭にはチェコ、ポーランド、ハンガリー、スロベニア、エストニア、ラトビア、リトアニアが民主化の先鋒とされた。半独裁体制の国々に属したのがスロバキア、ルーマニア、バルカン半島ではアルバニア、ブルガリア、クロアチア、セルビア、ボスニアヘルツェゴビナ、マケドニア、そして同じくロシア、モルダヴィア、ウクライナ、そしてベラルーシである。三つ目のグループは中東や南コーカサス地方で全体主義の部類から独裁の部類に変形の歩を進めた国々である[81]。

現在、一部の国々での民主化のプロセスは少し停滞し、一部の国では若干進展している。しかし一つ言えることは、民主主義の矛盾で極度の衰弱状態となったのはウクライナだけではないということだ。国が今直面していることと、アメリカの政治学者であり比較言語学者であるホアン・リンツとアルフレッド・ステパンが「不完全な民主主義への移行[81]」と名付けたこととは、一足飛びに民主化して市場制度に移行しようとした残りの全ての国に特徴的な現象である。

さらにもう一つ、東ヨーロッパでの民主化には特徴がある。「バルカン諸国では政治活動の議会主義化が急激に減速した。国会は弱体化して権威が十分でなく、実効性はほとんどない。党は国会外で活動する方を好む。党が議会制民主主義の規準にほとんど適合していないからだ。しかも多党制度の中で主導的役割を果たしているのが権力の座にある一つの党で、統治体制はほぼ大統領制である。与党は他の政治勢力と権力を分配することを好まず、野党側は選挙結果に従うことや、国会の手続きに厳格にそって活動することを好まない。国会の正常な機能運営は難しくなり、野党はしばしば示威的にそれを邪魔したり、仕事を長引かせたりする」[82]

従って、ウクライナ人が自国の国会での殴り合いを見る時、少なくとも自分たちだけが世界で唯一の革命・民主的悲喜劇の参加者ではないと自らを慰めることができる。

かくして体制変革に一二年をかけて、ブルガリアの政治的多元性は二〇〇の党、連合、運動、その他の組織となって実現したが、政府役人の国家的未成熟が、主権国家の内政や外交に対する法外な外国の干渉をもたらしている。助言者の大半は外国の政府や国際金融研究所、コンサルティング会社の代表で、社会主義後に関する体制変革の経験がない学者や専門家さえいた。移行時期の大きな誤りとなったのが政府役人と野党との永久的な対決であった。基本的政治問題に関する左翼と右翼の見解は、原則的に対立するものだったのだ。

スロバキアは以前のように、欧州連合の加盟国の中だけでなく、ヨーロッパ全体の中で汚職のレベルで第一位である。勿論、この状況を是正しようと努力したのは「貪り食った金持ち以外は誰も苦しまなくて良い」方法でやり遂げると約束したスロバキアの首相フィツォ、そして「普通のまともなスロバキア人なら誰もがそうであるように、戦車でブダペストにいくことを夢見ている」与党連合参加者の一人、ヤン・スロタであった[83]。

二〇〇六年の秋、政治体制が共産主義後の地域の中で最も盤石であるとされていたハンガリーでも、信頼失墜の危機が起こった。議会選挙に勝利した後、ハンガリー社会党の党首、ジェルチャーニ・フェレンツ首相は同党員たちとの懇談の中で、政府は二年に渡って国の経済状態について国民を虚報で惑わせてきたことを認めた。しかしながら首都で混乱が表面化したにも拘らず、政治エリートは民主的、多元的政務の枠内の職に留まった。ハンガリー社会党は中央政府を管理下に置きつつも地方選挙で敗北し、野党はその格付けを上げた。エリート体制の現状を維持することは出来たようだが、国民の政治制度（第一に政府、国会、政党）への信頼はひどく失墜した。「比較的安定した政党帰属意識が定着しているのは、ハンガリーの有権者の五分の一だけである」。このように、現在のハンガリーでは（国民の）政治的な行動は抗議的投票、あるいは方針が揺れ動く投票、また政党に対して増大する不満と共に感情的な行動動機となって現れている。「文化的・イデオロギー的に表現された各党の政治的色分けと、唯物論的・国家社会主義的な感情を吹き込まれた大多数の有権者の間には、大きな隔たりがある[83]」

共産主義後の全期間を通して、チェコ共和国では二つの巨大政党、国民民主党と社会民主党の協定が効力を持っていた。このいわゆる「野党協定」は、一方では政治的安定を保証したが、他方では社会的多元性の削減を助長し、傲慢で強欲な政治エリートの形成や国民の政治的疎外を助長した。二〇〇六年の「協定」の崩壊は期限前選挙をもたらしてエリートの間にパニックをひき起こし、政治的闘争を激化させた。もっとも、例によってその闘争に国民が参加することはなかった。(政府のいくつかの人事を決めるのに半年かかった。首相は妻を捨て、議会の副議長と住み始めた。一方、危機を救ったのは、ある党から別の党に移った二人の移籍議員だった)。

以上が概観である。東ヨーロッパで、正にこのウクライナで、このような不安定な状況が今後どれくらい続くのか予測することは難しい。しかし、ズビグニエフ・ブレジンスキーの言を信じるなら、このような過程が続く長さは「中央東ヨーロッパでは少なくとも一〇年、他の社会主義後の国々では一五年から二〇年になる」だろう。

私はブレジンスキーを大変尊敬しているが、彼の予測、特にウクライナについてはあまりにも楽観的であった。

第八章

世界におけるウクライナ

ユーラシアというチェス盤における新しい重要な地域であるウクライナは、地政学的な中心である。何故なら独立国としての存在そのものが、ロシアを変化させる助けとなるからだ。ウクライナなしでは、ロシアはユーラシアの帝国でありえない。ウクライナなしでもロシアはまだ帝国的地位を得るために戦うことは出来るだろうが、その時ロシアは基本的にはアジアの帝国国家となり、おそらく、台頭して来る中央アジアとのうんざりするような紛争に巻き込まれるだろう……。もしモスクワがウクライナを、その五千二百万人の国民と巨大な資源と共に、また黒海への出口と共に自分の管理下に戻すことができたら、ロシアは自動的に、再びヨーロッパとアジアに広がる強大な帝国国家となる手段を手に入れるだろう。

ズビグネフ・ブレジンスキー

ウクライナの経済的地位

先生、私には劣等感があります……

何を言いますか、それほどではありませんよ。あなたは大体において自分の能力を正しく判断しています……

ウクライナは経済的にも、社会的にも慰めようのない好ましからざる統計を携え、危機に近づいた。

二〇〇七年の指標によれば、ウクライナでは人口減少が起きており、人口学的危機の寸前にあると断言できる。ここ一〇年でウクライナは六百万人の住民を失った。そして出生率は上がっているにも拘らず、そのレベルは人口再生産を保証するのに必要な数値より二倍低い数値となっている。実際、中期予測において五千万人の人口を更新する可能性はほとんどない。

世界保健機関の欧州地域事務局のデータによれば、ウクライナはヨーロッパで死亡率が第一位である。ウクライナの平均寿命は約六十六歳、この指標においてドイツに十一歳、フランスに十二歳、スウェーデンに十三歳、さらに最も近隣のヨーロッパ諸国、ポーランド、ハンガリー、ブルガリア、スロバキアにも水をあけられている。国際連合の専門家の予想は、人口減少と人口学的指標の悪化という今後の傾向を示している。[84]

生産的年齢にあり、高い専門的技能を持つ人々を移住で失っていることも加えて、人口減少は急速なテンポで生じている。環境汚染、生活条件の悪化、不適切な栄養、有害な習慣の蔓延、結核やエイズのような病気の蔓延を抑える能力にも欠けることを露呈する保健分野での国政の脆弱さ、全般的な医療サービスの質の低下がウクライナ国民の健康に暗い影を落としている。結果として国民全体の罹患率は著しく上昇した。

ウクライナの現況は然るべき労働が然るべき生活レベルを保障するものではない。

ウクライナ人は人権に関して、国民が欧州裁判所に提訴する数で第三位を占めている。ウクライナ国民は大多数が自国の社会・経済状態や、全体としての国の発展に不満を抱いている。ウクライナには公正な訴訟手続が存在しないと確信している人―九〇%、然るべき生活レベルに対する権利がないと判断する人―七一%、ウクライナに民主主義が機能していることに不満を持つ人―六一%、自分たちの生活が営まれている全体的状況を「悪い」あるいは「大変悪い」と判断している人―五〇%となっている。[84]

これら全ての指標が二年間（出生率を除き）悪化するのみであった。

一九八〇年代、ウクライナは全てのマクロ経済指標でポーランドに勝っていたが、現在、ウクライナのＧＤＰ（国内総生産）はポーランドの三分の一である。その代わり、ウクライナは現在、五倍多くのガスを消費している。[85] これで何が言えるだろうか？　買収されたガスの供給網に触れるまでもなく、ウクライナにはエネルギー節約（省エネ）のまともなプログラムが全く存在しておらず、古いテクノロジーと高いガスが、ウクライナの産業を競争力のないものにしている。

危機はいずれにせよいつかは終わる。一方ウクライナは、もし上手く行けば、その危機から農業国として抜け出すだろう。もしそうでなければ、他の国々に奉仕することになる。新しい技術整備は、ここ何年か一切なされていないから。

危機の過程の後遺症として、ウクライナ経済の地下経済化が強まった。数字は本当に様々であるが、二〇〇八年の色々な情報源によると、三五%から七〇%が部門によって地下経済にある。[86]周知のとおり、地下経済になると国家予算にまわる資金が不足するが、地下経済の割合の増加は恐慌の結果起きるだけでなく、課税部門での国家の無策に対する反応としても起きる。実際、先進諸国では危機の諸現象を和らげるために、法人税が幾分下げられた。ウクライナでは今のところ何の変化も認められず、反対に、おそらく二〇一〇年には税の圧力が厳しくなることが予想される。何故なら、先ずそれを要求しているのが国際通貨基金だからだ。

ついでに言えば、地下経済の成長は大多数の国々で起きていることで、危機に対するノーマルな反応である。ウクライナが他の国々と異なるのは、その数値だけである。二〇〇九年のヨーロッパの最も恵まれた国々の地下経済の割合は〇・三〜〇・九%上昇したが、ウクライナでは平均して五〜一〇%まで上昇した。東ヨーロッパ諸国で合計すると、地下経済の割合は実際のGDPの一〇〜一八%、独立国家共同体諸国においては三六〜三九%、ウクライナでは五七%である。[87]

しかしながらこの場合、政府の無策は国家にとって全体的に肯定的な側面もあった。才覚のあるウクライナ人たちによって企業と銀行預金の流通からお金が吸い取られたのだが、公式のデータによれば、その流通額は約五〇〇億ドルで、四億フリヴニャがひそかに吸い取られた。そのようにして一年間でほぼ一〇〇億フリヴニャが吸い取られたが、少なくともウクライナではデフォルトが宣言されず、銀行制度も崩壊せず、フリヴニャも十五まで落ちず、冶金工業、化学、食品産業は生き残った。このような状況が維持されたのは政府の活動のお蔭というよりは、むしろその反対である。もちろん、その他に世界市場の功績もあり、そこでは我が国の輸出製品への需要が高まっている。しかしながら、勿論、企業自身が効果的なビジネスを創出し、新しい販売市場を見つけ、経費を最適化することが出来たのだ。しかし、損失なしでは済まなかった……

本質的なビジネスの細分化や資本の分割が起き、預金や働く場所の喪失とインフレの結果、苦しんだのは基本的に庶民であった。

前述した全てのことと異なり、選挙の直前に我々は（いつものように）経済的指標の肯定的な統計に遭遇し、その統計がいわゆるベース効果の原則に従って誇示されることとなる。産業の凋落にも拘らず、月々の比較から得られた全く正確でない指標が提示される。つまり、図表上で今年の月の指標が昨年の同じ月の指標と比較されるのだが、この際、一年の間の変動過程は全く言及されない。これは一つの曲線を別の曲線で伸ばせば、明らかにすることができる。目の前にあるのは下落だ。そのようなトリックはしばしば、GDPの指標でも行われている。

GDPのトリックは、政権の有効性を裏付ける政策審議の場でも起こっている。大変頻繁に出される声明、「我々が政権に就いてGDPが向上した」、あるいは「彼らが政権に就いてGDPが下落した」の背景には如何なる経済的実態も存在しない。何故なら経済に活性がないため、GDPは短い期間で下落したり向上したりすることは出来ず、正にGDPが上昇したり下落したりという方向性を得るために約一年はかかるからだ。よって、政府がつまらぬことを散々しでかして退陣しても、その仕事の真の成果が判明するのは一年後になる。

もう一つの側面がある。GDP、それは商品やサービスの現金化から得られた主たる収入の総体で、それがフリヴニャに換算されるので、その数字上の意味（ドルのレートの上昇、即ち、多くの商品価格の上昇の結果としてのフリヴニャ量の増大に過ぎない）にいつも注意が払われているわけではない。

また消費者物価指数のトリックもしばしば行われている。通常、その評価は最も緊迫していない時期に（例えば夏に）行われているが、公表されるのはかなり遅くなってからである。そこでインフレ指数が止まり、即ち、世界中がそうであるようにデフレが起き、つまり状況は安定しているということになる。

しかしながら国民はフリヴニャの平価切下げの結果のみならず、政権の不人気な活動の結果、本質的な価格や税率の上昇に備えなければならない。政府はこの一年間、予算を補充するための方法を二つしか見出さなかったからだ。国際通貨基金の貸付と有価証券の追加発行、つまり紙幣の追加印刷である。そして差し当たって、新しく製造されたフリヴニャは、銀行の資本の増強やロシアのガスの支払い用のドルの入手に投入された。しかし紙幣の追加印刷の結果が年金や給与の引き上げという形で消費者市場に一気に流れ込むとすぐに、先ず日用品の価格が跳ね上がる。これは通常の経済プロセスの結果で、それは全ての「経済」の教科書に書いてあることなので、給与や年金の引き上げというポピュリストの要求を避けるために、一部の政治グループがこれを知っていて悪いことはないだろう。

しかし経済が政治ゲームを提供している間に、国民は危機の後遺症を益々感じることになるだろう。従って、これはどういう現象なのか、そしてこの状況はどのくらい続くのかを、とにかく知っておかなければならない。

経済博士、危機とはどういうものですか？

発展途上諸国への援助枠で、富める国の貧しい人のお金が、貧しい国の富める人に届いている。

アルフレッド・モーザー

辞書によれば、危機の定義の一つは次のとおりである。危機：既存の達成手段が規準に合わなくなり、その結果、予見できない状況や問題が起きるような状態。

危機的な病の症状（兆候）は次のようなものである。経済の全般的な下落、ＧＤＰの成長の鈍化、あるいは停止、その減少、所得、生計への収入や控除の減少、平均的な生活レベルの全般的悪化とそれによって引き起こされる問題（産業の縮小や失業、社会的弱者を支援する活動の休止、社会的緊張など）の大変複雑な絡み合い。

これら全ての危機的傾向に共通の特徴となっているのが全体的な不安定で、それは危機の原因や危機を克服する方法を理解していないことから生じる。

しかし危機からの脱却の期間は、理論上標準的に定められた期間に依拠するのではなく、国家が適用する危機対応の方策に直接左右される。そして、ついでながら、エコノミストは誰一人として危機が終わる時期や、その正確な後遺症を正しく予測できない。全ての予言は抽象的なものにすぎない。何故なら個々の国は自国を管理する力と共に、他の国とは全く異なる経済システムで、しかも隣国の経済や全体としての世界情勢に依存している。つまり一つ一つの国家には危機を克服する方法や時期がそれぞれ独自のものとしてある。現在、世界では合計九兆ドルが危機からの脱却のために割り当てられているので、全ての国々の状況が近いうちに良くなることを、やはり期待して良いだろう。

ついでながら、危機は決して新しい現象ではない。この百年の間に世界は六つの世界的規模の経済危機を耐え忍んだ。一方、二百年の間に世界的規模の需要と供給の不均衡は約二〇回起きた。それらの中で最も重要なものを次に引用する。

例えば一八五七年の経済危機は、鉄道会社の大量の倒産という特徴があった。その後遺症となったのが株式市場の崩壊、アメリカの銀行体制の危機、ヨーロッパ及びラテンアメリカ諸国の危機であった。

一八七三年の世界的な経済危機の原因となったのは、ラテンアメリカでの貸付金の上昇と、ドイツとオーストリアの不動産市場での投機的な隆盛であった。その後遺症となったのがウィーン、チューリッヒ、アムステルダムの株式市場の崩壊、貸付の延長をドイツの銀行が拒否したことによる米国での危機であった。資本主義の歴史において、これが最も長期にわたる危機で五年続いた。

一九一四年の世界金融危機（第一次世界大戦の始まり）は、米国、英国、フランス、ドイツ各政府が軍事行動に融資するため、外国の銀行券発行機関の有価証券を大量に売り出した結果起こった。その結果、全ての商品市場及び金融市場が破綻した。

一九二九年から一九三三年の大恐慌は、産業の成長を背景とした通貨供給量の不足の結果起こり、この場合、デフレと価格の下落が金融の不安定を引き起こした。その厳しい後遺症は四百億に至る有価証券のレートの下落に現れ、工業生産の削減は英国では二四％、ドイツでは四一％、フランスでは三二％となった。一九三三年、三二の先進諸国で失業者は三千万人を数えた。

一九七三年に最初のエネルギー危機が起こった。ＯＰＥＣ（石油輸出国機構）が（エジプト・シリアとの戦争でイスラエルを助けた）米国への石油を禁輸したことと、米国の西ヨーロッパ連合国向けの販売価格が七〇％上昇したことが原因であった。結果として、実質的に全ての商品とサービスの価格が高騰した。

一九八七年のブラックマンデーは、一部の巨大企業の株価が大暴落した後、市場から投資家が流出したことで知られるが、その結果、アメリカの株価指数ダウ・ジョーンズ・インダストリアルは二二・六％下落した。アメリカ市場に続きオーストラリア、カナダ、香港の市場が崩壊した。

一九九七年のアジア危機は地域通貨の下落と、東南アジア諸国の国際収支が高いレベルで赤字となったことで引き起こされた。その後遺症は東南アジア諸国からの投資家の引き上げと、世界のＧＤＰの二兆ドルの下落であった。[88]

そしていよいよロシアの危機だが、その原因となったのはロシアの巨額な借金、化石燃料の低い国際価格、そして短期国債のピラミッド構造で、それらによってロシア連邦政府は債務不履行、いわゆるデフォルトを起こした。ルーブルの下落はその後遺症の一つに過ぎない。

この危機をウクライナもまた体験した。ペレストロイカ後の時期の病的なほどの変化を考慮すれば、それは既に二度目の危機であった。つまり、ウクライナは既に産業の危機、通貨の下落、テンポの速いインフレや、経済プロセスのグローバルな改革に関連するありとあらゆるネガティブな後遺症を体験したのだ。これら全てもまた危機的現象であった。

従って、二〇〇八年の世界金融危機を観察して、世界の危機のある程度の周期性について結論を導くことが出来る。少なくとも一〇年から一五年毎に一連の国々の国民は、経済プロセスの中で何らかの危機を体験している。それは金融危機、エネルギー危機、産業の危機など色々なものがあり得る。最も深く広く国々を覆った危機は先に数え上げたものである。それらの他に、平均して五年毎にもう少し規模の小さい危機が一国、あるいはいくつかの隣国の範囲で起こっている。

このように、経済の観点から見れば、危機は決して新しい現象ではなく十分に法則的な現象である。何故なら危機は、経済の自然な健全化や質的改革に寄与しているからだ。そしてもし、外部からの人工的な働きかけや、強力な金融グループ側からの経済プロセスの操作を除去すれば、歴史上起こった全ての経済危機の間に定期的で法則的な周期性と、ある種の相似さえ指摘することができる。

二〇〇八年の危機は、起こり得る後遺症と危機からの脱却の方向性の点でのみ、どこか新しいものである。さて現在、この百年間の金融と関係のある全てのプロセスを総括して、エコノミストたちは起こり得るドルの下落や、ドルを新しい通貨に替えることとさえ審議している。そのような結論が出されるのは、次のような破滅的な現象が存在するからである。即ちFRS（連邦準備制度）の（第一にドルの発行における）無統制さ、通貨の金兌換停止、商品量と通貨供給量（通貨供給量は商品量を超えてはならない）と価格のバランスが守られていないといった現象である。

もっともあり得ないシナリオは、世界の金融制度の完全崩壊論と、世界通貨としてのドルの地位の崩落論である。通常、その結果生じるのは、国々の危機からの非市場的脱出方法、米国も含めた世界的緊張の増大と、米国による新通貨の導入である。

たとえそういうことが起こったとしても、金の裏付けのない新しい通貨の導入がマネーゲームの全体的な原則を変えることはないし、従って、世界はやがて同様の危機に戻っていくということを理解しなければならない。その他、新しい通貨への移行は極めて過酷な変化を伴うので、政治的緊張や内政的分離主義、政治的に不安定な国々の崩壊や失業者の増加、お決まりの資産の再分割を引き起こしかねない。

経済的なレベルでは全ての通貨取引における方向転換、企業間のバーター取引関係の隆盛、産業の販売拠点への移動が起こるので、将来、価格の単一の世界基準の出現や、各国および世界経済の最大限の透明性を促進するかも知れない。

そのようなシナリオは実現するかも知れないが、今のところ、そのような最終結果は私たちにはまだ夢物語でしかない。一方、競争原理や経済の慣性を考慮すれば、そのような最終結果も長期的な、危機の無い機能を保証するものではない。

何にせよ、経済危機という総体的な病気の治療は、政治家がエコノミストとの密接な協力の下で取り組まなければならないと理解することが重要である。それが彼らの課題である。例えば我が国の人的資源は、第一にその知性と労働能力によって、危機的現象に十分に対処する能力がある。最も重要なのは政府の役人たちの質の高い判断である。

人類も含め、自然界のあらゆるプロセスにとって、危機が肯定的側面を持つことを社会もまた認めなければならない。自分の位置を認識するため、見通しを深め広げるため、新しい人生の目的を探すため、非現実的な幻想を壊すため、古いものを除去し新しいものに刷新するため、より普遍的な価値体系の創造のために危機は欠くべからざるものである。危機の克服は、不合理な行動に対する責任の認識と共に、より質の高いレベルへ移行するための新しい潜在的な可能性を開く。

危機から脱出するための、どのような経済的手段がウクライナにあるだろうか？　それはおそらく、東洋への方向転換であろう。目覚ましく発展しているロシア、インド、中国といった国々で近い将来、我が国の冶金工業と機械工業が必要とされるからである。しかも東洋の国々は人口が多く、それが世界食糧危機の状況下で穀物輸出国としてのウクライナには大変重要なのだ。

今のところウクライナの危機は、自分たちの資源や再生産によってではなく、主にＩＭＦからの借入金によって克服されつつある。そしてこのクレジットは「危機」という病気の治療のための一種の錠剤になっているが、その作用は、次の笑い話と同じである。

患者「先生、助けて下さい！　頭がひどく痛いのです。それに胃が痙攣しています」。医者は、半分に割った錠剤を差し出しながらこう言った。「ほら、これが君の薬だよ。半分は頭痛の薬、あと半分は胃薬だ。間違わないようによく見なさい。ただ胃薬の方にはめまいの副作用があり、頭痛の薬には下痢の副作用がある」

呆れたものだ。

ネズミ捕り器の中の無料のチーズ　ＩＭＦのクレジット

私の原則はこのようなものだ。もしそれが気に入らないなら、私には他の相手もある。

ＮＮ

国際通貨基金（ＩＭＦ）は米国のワシントンに本部を置く国際連合の特別の代行機関である。ＩＭＦは国連の専門機関のステータスを持っている。

ＩＭＦは戦後のブレトンウッズ体制の一部として創設されたが、この体制は第二次世界大戦の直前に世界経済を震撼させた経済的・為替的不安定の再発を防止することを使命としている。基金創設の目的は為替レートと国際決済システムの共同監視を保証することにあり、それは国やその国民が他の国々とお互いに商品やサービスを入手しあうことを促進する狙いがあった。ＩＭＦの公式活動が始まったのは一九四五年一二月で、その時、最初の二九ヶ国が然るべき協定に署名した。最初の業務は一九四七年の三月に開始している。[89]

現在ＩＭＦには一八三の国が加入しており、その組織で一二三の国から参加した二五〇〇人が働いている。二〇〇八年のＩＭＦの授権資本は二一七〇億特別引き出し権（ＳＤＲ）であった。この額は三二五〇億ドル以上である。二〇〇九年の一月に日本は更に一〇〇〇億ドルを追加した。ＩＭＦの主要な株主間には、その授権資本を五〇〇〇億ドルにまで到達させるという合意がある。

ＩＭＦは決して慈善組織ではないということを考慮する必要がある。ＩＭＦも世界銀行も、多国籍企業が自身の戦略を国々に押し付けるために創設したのである。ＩＭＦと世界銀行の全ての活動は、これらの組織と米国の財務省との間で結ばれた半合法的諸合意のパッケージによって制約されている。このパッケージは「ワシントン・コンセンサス」と呼ばれ、米国の金融資本の影響を全世界で強めることを指向している。

ＩＭＦと世界銀行は様々な国々に、「ワシントン・コンセンサス」の指示、即ち、経済的指示と政治的指示をそれらの国が履行するという条件でのみ借款を提供している。指示は次のような項目に置き換えることができる。即ち、資本の移動の自由。全体的私有化：それは、競争など不可能な地域においてさえ、私有資本が商品の質やサービスを向上させることなく、根拠なく価格を上げることを可能にする。高い利率：それは工業の発達を妨げるが、金融投機を容易にする。全てのソーシャルプログラム（無料、又は安価な保健、教育、安価な住宅、公共交通機関等々）を最低限にまで削減または廃止すること。自然保護や環境保護の放棄。米ドルに依拠して国の通貨の安定を支え、実際の通貨供給量を制限すること。（これは給料、手当の未払いや現金の著しい不足を引き起こし、また国の主権を部分的に失うことにつながる)。給料の削減や勤労者の権利の制限(ストライキの権利や労働組合等々の権利)。貧しい人々への負担を増し、裕福な人々への税負担を軽くする税の改革(ロシアでは一律に一三%の税という結果になった。貧しい人々は一%多く支払うようになり、裕福な人々は七、一二、一七、二七%等々少なく支払うようになった)[90]。

IMFの介入が、国々に壊滅的な結果をもたらした多くの例を歴史は示している。

例えばユーゴスラビアは、自国の経済をIMFの処方によって再建し始めた最初の「東側諸国の」国だった(一九八〇年のことだ)。正にIMFがユーゴスラビアの指導者に、国の全ての地域の経済発展を均一化する「社会主義計画」を破棄するよう求めたので、伝統的に発達が遅れていたコソボは巨額の国家の補助金を失った。それが、アルバニアのスターリン主義者の地下組織をコソボに作るために、地域住民の「新しい経済政策」への不満を利用するチャンスを、当時ホッジャ主義(エンヴェル・ホッジャが唱えたマルクス・レーニン主義の変種の一つ)のアルバニアに与えた[90]。

ルワンダにおいてのIMF活動は更に破壊的であった。ルワンダは長い間、農業発達の成功モデルと見なされていた。しかし八〇年代の終わりに気候に恵まれない年を二年経験し、大変な凶作に見舞われた。一九八九年にルワンダはコーヒーの収穫を担保にIMFから巨額の借款を得たが、その年に世界市場でコーヒー価格の値崩れが起こった。ルワンダに対するIMFの新たな借款は、ルワンダの食糧自給政策の放棄と、農場経営者の経営の国家支援の停止(これは「市場政策ではない」という理由で）という条件でのみ提示された。またルワンダ・フランの平価切下げもその条件であった。これら全てのことが急速に進行するインフレと国民の実質所得の崩壊を招いた。しかもＩＭＦの専門家たちは、ルワンダで経済危機が始まる度に国内で内戦が勃発することを、十分承知していたのである。

蓄積された国家の富は全て失われ、ルワンダの金融資産は全てヨーロッパの銀行に流れ、国の経済は破綻した。ＩＭＦの指示によって、ルワンダの新しい政府は国内の貯蓄・貸付協同組合を（「社会主義的」だとして）解散させたので、その後、農場経営者の大量破産が起こり、コーヒーの買付価格が凍結した。現在のルワンダは何の展望もなく、債務の利息を払うためだけに働く国である。

同様の例はいくらでも挙げることができる。例えばインドネシアでは、スハルト体制は、その最後の八年間にＩＭＦの勧告を全て異議を唱えることなく実行した。それは経済破綻、米国への大量の資金流出、スハルトの失脚、民族的・宗教的衝突となって終わり、その衝突で八千人から一万人が亡くなった。

ブラジルの例は注目に値する。この国ではここ五年間、軍事体制が政権を握っているが、国の経済を管理していたのはＩＭＦである（巨額の海外債務の支払いを監視するというのがその口実である。その債務の支払いはブラジルの輸出額の三〇～四〇％に達した！）。一九八三年から八四年にかけてＩＭＦは軍事体制に「ショック療法」のプランを押し付けた。しかしそれは国中に「ショック」への大衆抵抗を引き起こし、市民の反抗運動や企業での大量サボタージュとなって終わったので、一九八五年に軍事体制が崩壊する契機となった。それに対し、有名な左翼急進派の社会学者で経済学者のフェルナンド・カルドーゾが大統領であった時代に「ＩＭＦによる改革」を拒否したのだが、その拒否がブラジル経済を安定化させ、国内の貧しい人々の数を急激に、五百万人減らすことを可能にしたのである。[91]

更にもう一つの「ＩＭＦによるショック療法」の例が、ペルーの独裁者フジモリの時代にある。この「療法」の結果、ペルーでは一二〇〇万人が仕事を失い、一五〇〇万人が赤貧の状態にあり、国自身が産業・農業国のカテゴリーの国に移行するチャンスを失ったのである。

エクアドルでは「ＩＭＦによるショック療法」が国の通貨として米国ドルを導入することに繋がったので、エクアドル人の全体的な破産と自然発生的な暴動、政府の崩壊を引き起こした。

ＩＭＦの処方箋に従って作られ、ドミンゴ・カヴァーロがその父と呼ばれた「アルゼンチン経済の奇跡」もまた、事実上のデフォルト宣言、飢えた大衆の暴動、組織的虐殺・略奪、そして度重なる政府の交替と共に消滅した。

そして現在、景気後退との闘いの方法の一つであるのが税の引き下げである。しかしながらＩＭＦは、米国や日本、いくつかのヨーロッパ諸国が銀行や企業の税負担を急激に下げているにも拘らず、何故かウクライナに財政政策の引き締めを勧めている。そればかりでなく、厳しい指示はＩＭＦの勧告の合理性にかなり疑いを抱かせ、最早ＩＭＦに従うことで、ウクライナは自身の平穏無事を大変な危険にさらしているという確信に至らせている。[92]

ウクライナとＩＭＦの覚え書の主要な条件

・国民と企業の税の徴収条件の厳格化
・柔軟な為替レート
・インフレターゲット（貨幣の流通量調節によるインフレの抑制）
・二〇〇九年から二〇一一年における国民の実収入増加の禁止
・財政政策の引き締め
・全ての消費者用エネルギー資源価格の市場レベルまでの引き上げ

融資についての合意の調印前のウクライナへの事前指示

・為替バンド制（為替レートの変動範囲に対する制限）の廃止
・公式レートと市場レートの誤差が二％以下であること
・産業投資銀行への支援の割り当て
・国家の資金による銀行の資本増強についての法律の採択

次期トランシェの割り当ての条件

・現業務の経常赤字がＧＤＰの一から二％以内であること
・インフレ：二〇〇九年の年間のインフレが一七％以下であること。また二〇一一年に五～七％までインフレを削減すること
・ウクライナ国立銀行の介入実施は通貨オークションを通してのみ
・通貨の購入と販売に対する税の廃止

・二〇〇九年のマネタリーベースの成長速度が一一%、GDPの名目成長率が一二%、インフレが一七%
・準備金の形成に関する銀行への条件の厳格化
・銀行の借り換え条件の厳格化、無税の借り換え、及び銀行株を担保にした借り換えの禁止
・ウクライナ国立銀行の預金証書の金利の引き上げ
・ウクライナ国立銀行会議からの政治家の追放と会議の権限の制限
・ウクライナ国立銀行総裁の権限期間の延長
・ウクライナ国立銀行が、支出に対する収入の増加による資金を予算に振替えることの禁止
・国内国債市場への新人リーダーの導入
・銀行の監督・監視の強化
・最低十万フリヴニャまでの預金保証額の増加
・「将来性のある」銀行の資本増強（評価基準はIMFの専門家たちと共同で検討される）
・「将来性の無い」銀行の閉鎖
・財政赤字：二〇〇八年はGDPの一%以下で、二〇〇九年には赤字の無い予算であること
・最低賃金を最低生活費まで上げることの禁止
・社会保障の指数化の禁止
・二〇一一年末まで住民用のガス代を市場レベルまで引き上げること
・熱供給公社用のガス代を二〇一〇年七月一日まで市場レベルにまで引き上げること

基金との関係が、しばしば否定的な結果をもたらしたことを国際労働組合総連合も警告しており、それを理由に二〇〇〇年から四〇の国で共同プログラムに反対した抗議行動が起きている。それで現在では多くの国が、敢えてＩＭＦに全く援助を求めなくなっている。

例えば、ブリュッセルのＥＵ本部は危機の状態にあるルーマニアに、基金の監視下に国を置かないように、ＩＭＦから借用するのを控えるよう助言した。

ＩＭＦの援助の結果を考慮して、国々はＩＭＦを避けようとしているか、あるいは少なくともＥＵ加盟国はＥＵの保護を持ちつつ、貸付金の優遇条件を得ようとしている。

また、二〇〇八年一二月の初めに中国のチャイナ・デイリー紙が論文を掲載したが、その論文には、資源の拡大とＩＭＦの役割の向上についてワシントンで一一月に採択されたＧ20の決定に、アジア諸国は不満であると記載されていた。その論文にはアジア諸国が基金に対する深い不信を経験しており、ここ一〇年の間に基金が自身の活動の質を向上させたという何の証拠も見られないとの指摘があった。その代わりにアジア諸国は金融協力を増大させ、とりわけ一三の国々が地域基金を創設した。それはいわゆるチェンマイ・イニシアティブという、八〇〇億ドルの通貨交換取極めネットワークで、これには中国、日本、韓国とアセアン諸国が参加している。

ＩＭＦとの協力で既に悲しい経験を持つロシアも、ＩＭＦの貸付を拒否している。ついでながら、ロシアは一九九〇年代に二二〇億ドル以上の額の貸付を受け、それを期限前に返却している。[93]

発展途上諸国において危機後に遂行されたＩＭＦの改革の間違いを討議して、一部の専門家たちが結局のところ固守した考えは、世界市場の変化とグローバリズム、一つ一つの国々の個々の状態についての知識が不十分であったこと、また一九七一年に金本位の支えが喪失した結果、基金が良くない決定を下したというものであった。しかも研究者たちはＩＭＦの戦略を、発展途上諸国の経済を破壊し、それらの国々から資源を吸い取ろうとする故意の行動と結びつけないように努めている。

そうであっても、ウクライナ人にとって正しい行動は、やはり、ＩＭＦから受けた援助の制限と監視、また、より誠実な条件での貸付提供についての追加交渉であっただろう。

当時ロシアが危機から脱出するのを本質的に助けたのが、石油製品の価格の上昇であったことは理解できる。ウクライナにはそのような可能性はない。しかしながら近い将来、貸付金の返却メカニズムを始動させなければならないし、それを保証するのは第一に自国の生産能力であって、追加の再貸付であってはならない。ましてや現在の貸付金は様々な所に拡散し、外国への借金の返済に使われ、なかなか経済に投入されていない。

更に、ＩＭＦの経営陣さえ否定していないのだが、基金は国家の発展のためではなく、経済の安定化のために活動している。残るのは、ウクライナ人の安定化の概念がＩＭＦの代表部の意見と一致しているか、検討するだけである。

ウクライナとNATO　誰が私たちを護ってくれるのか

歴史は戦争に満ちている。それらの戦争について明らかだったことは、戦争は決して始まらないだろうということだった。

イーノック・パウエル

『ウクラインスカヤ・プラウダ』紙で、ウクライナのNATO加入について市民の意見を訊く目的で、筆者がクリミアを訪れた時のことが記されていた。NATOについての質問は、大体において人々を苛立たせたと言わなければならない。だから質問の数は最低限にする必要があった。NATOのアンケートの過程でブリュッセル本部はもとより加盟国のほとんどの正式名称も消えてなくなった。NATOの規定についての会話を続ける意味はなかった。ましてや回答者の一部が「北大西洋条約機構は、NATOより誠実で進歩的な組織だ」と意味不明の発言をしたのだからなおさらである！

結論として、住民の大部分は一体この組織が何なのか、その目的は何かについて、ほとんど分かっていなかった。しかもそのような状況はクリミアだけでなく、ウクライナ全域でも同じである。その代わり、イデオロギーの圧力のお蔭で、住民は何にせよ二つの陣営、NATOの味方と敵に分かれた。

これから、知識の空白部分を補いつつ言及して行こう。NATO「北大西洋条約機構」は国連憲章の諸原則に則り、ヨーロッパと北アメリカの全ての加盟国の自由と安全を保障すべき使命を帯びている。

この目的を達成するために、ＮＡＴＯはその加盟国が直面している安全保障上の招請の性格に応じて、自らの政治的影響力と軍事力を行使する。ＮＡＴＯの課題は北大西洋地域における安定性の確保、安全保障問題に関するコンサルタント、ＮＡＴＯの全ての加盟国に対する如何なる攻撃の脅威からも防御し、それを食い止めること、紛争の防止への効果的な協力と、北大西洋地域の国々との全面的パートナーシップと協力の発展を助成することである。

この機構の誕生の歴史は、一九四七年から一九四九年に起こった一連の出来事、ノルウェー、ギリシャ、トルコの主権への脅威、一九四八年のチェコスロバキアでのクーデターと西ベルリンの封鎖などと関係しており、それらは国際情勢を緊迫化させた。その結果、一九四八年にブリュッセルでヨーロッパの五か国、ベルギー、英国、ルクセンブルク、オランダとフランスによって共同防衛システム創設の条約が調印された。その後続いた米国とカナダとの交渉は一九四九年四月にワシントン条約の締結となって終結し、一二か国の共同防衛システムが始動した。その一二か国とはベルギー、英国、デンマーク、アイスランド、イタリア、カナダ、ルクセンブルク、オランダ、ノルウェー、ポルトガル、米国、そしてフランスである。[94]

五〇年代初め、一連の国際的な事件の進行がＮＡＴＯ加盟諸国を、北大西洋条約に基づいた北大西洋条約機構：ＮＡＴＯの創設に駆り立てた。ＮＡＴＯの創設は、一九五二年に発効した一連の追加条約によって正式なものとなった。

一九六七年にＮＡＴＯの核の役員会の創設をめぐる内部危機の結果、フランスが機構の軍事組織から外れたが、その際ＮＡＴＯの法的資格のある加盟国として残った。今日、ＮＡＴＯ加盟国は二六ヵ国である。

ＮＡＴＯ加盟国になると、ウクライナはより深いレベルでヨーロッパの活動に参加することになるだろう。また「ベルリン・プラス」として有名な一連の合意に基づき、ＮＡＴＯが自らの統合構造をＥＵの軍事作戦の遂行のために提供していることも、かなり重要である。そのため、ＥＵのメンバーでない一部のＮＡＴＯ加盟国は、そうは言ってもＥＵ内部の政治情勢に巻き込まれるかも知れない。第二に、ＮＡＴＯ枠内での防衛は、自国の軍隊による本格的な防衛よりも安価になるだろう。現在のウクライナの安全レベルは、その物質的、人的資源の値に適応しているとは言えないし、同様に、現在の防衛費はＮＡＴＯの加盟国になった場合の費用とも、中立確保の費用とも比較することはできない。現在のウクライナの地位は中立の権利が無い非同盟である。[94]ＮＡＴＯに加入した場合、ウクライナは共通の安全に対する責任分担を負わなければならなくなるし、そこにはテロとの戦いも含まれる。

しかしながらウクライナ憲法には「ウクライナは軍事同盟の加盟国ではない」と記載されている。よってウクライナのＮＡＴＯ加盟問題は全国民による国民投票でのみ決定することができるが、それは二〇〇四年の選挙時期と同様の出来事を引き起こす可能性がある。

また、ＮＡＴＯの加盟国になれば、おそらくウクライナ憲法のウクライナ領土における外国軍隊の基地設置や、ウクライナによる軍隊の使用条件に関わる部分に変更が求められるだろうが、実際には非現実的である。エリートたちの経済的政治的見解の相違を無視したとしても、憲法に変更を加えるためには三つの国民投票を行わなければならないからだ。最初の国民投票は憲法に変更を加えることの必要性の説明のため、二回目はどのような変更が必要なのかを明らかにするため、三回目はそれらの変更の確認のためである。このように、ＮＡＴＯへの加盟だけでなく、他の変更をウクライナ憲法に加えることも現在は大変問題があり、より正しく言えば不可能である。

いずれにしても現在のウクライナは、まだ解決されていない一連の問題を考慮してＮＡＴＯ加盟の可能性を失った。一連の問題とは正に、ＮＡＴＯの最後の加盟国となった場合の黒海艦隊の命運、西側諸国の軍事基地がウクライナに出現する将来の展望、ロシアに批判的なウクライナの防衛産業企業の、西側諸国影響圏への移行などである。

かくして、北大西洋条約機構で次のような決議が採択された。即ち、ウクライナ・ロシア関係の緊張は世界の安定と緊張緩和を促進することはないだろうし、ましてやその加盟国を護り、ＮＡＴＯ憲章第５条の規定を考慮するなら、ＮＡＴＯは抵抗する義務があり、それには核兵器の使用も含まれる。

それ故現在、北大西洋条約機構はウクライナに軍事支援をするつもりはないし、ウクライナの領土の保全を助けるつもりもない。機構の報道官のジェイムス・アパチュライが認めたのだが、一九九七年七月九日付のウクライナと北大西洋条約機構の特別なパートナーシップ協定の補足について、ウクライナとＮＡＴＯが八月二一日に署名した宣言は、ウクライナがウクライナ・

ＮＡＴＯ委員会の会議を召集する可能性を実際に想定している。しかしながら彼の言葉によれば、「ＮＡＴＯはウクライナに軍事支援や安全保障の支援をするつもりはない」[95]のだ。

『ザ・タイムズ』紙が指摘するようにＮＡＴＯの多くの加盟国は、キーウに核ミサイルの照準を合わせると威嚇してウクライナのＮＡＴＯ加盟に反対しているモスクワに、敵対しないことを良しとしている。

実際、『ウクラインスカヤ・プラウダ』紙の報道によれば、ロシア連邦の大統領ドミトリー・メドベージェフが次のような声明を出した。「ロシアはＮＡＴＯと平穏な、正常な関係にある。今、その関係は昨（二〇〇八）年の困難な時期の後、安定している。我々はその関係が今後も発展することを望んでいる。しかしＮＡＴＯは何にせよ軍事同盟で、そのミサイルがロシアの方向に向けられていることを忘れてはならない。そして、ＮＡＴＯに入る国の数が一層増え、広がり、我々の国境に近づくことで、我々が良い感情を味わうことは決してない。我々はそれを好まない。それを率直に申し上げる。ヨーロッパの安全を勉強しなければならない。共同の研究所を振興させようではないか」

一方、ウクライナの大統領ビクトル・ユーシェンコが語ったのは、ウクライナは二〇世紀に六回独立を宣言し、その内五回はウクライナの領土の保全を認めてくれる国際的なパートナーがウクライナにはいなかったため、失敗に終わったということだった。ウクライナはＮＡＴＯに加入するための加盟国行動計画（ＰＡＭ）を受け取るために必要なことを全て成し遂げた。今、全てはＮＡＴＯ加盟国だけにかかっている。[96]

それに対しロシアの国会議員、イリヤ・ポノマリョフは、クリミア地域からのロシア黒海艦隊撤退について問題を提起するのは、今は時期尚早だと考えている。「ロシアとウクライナは兄弟国だと思う。双方からの正常な管理環境で、ロシアは如何なるNATOよりもウクライナの安全を保障することができるだろう。今は難しい関係が生じるかもしれないが、それはある具体的な政治家たちの個人的な愛着や反感から引き起こされたものだ。しかしそのような状況がそれほど長く続くとは思わない。遅かれ早かれ、両国において責任ある政治家たちが政権に就き、彼らは我々両国の大多数の人々が友好を願っていると理解するであろう」（ウクライナ独立通信社の報道による）

今のところ、ウクライナの主権と安全を保障するためのもう一つの道になり得るのは、欧州連合（EU）の加盟国となることだと明確に断言できる。

ウクライナと欧州連合　誰が誰にとってより必要なのか

私は全てが順調というわけではないし、あなたも全てが順調というわけではない。だから全てが順調なのだ。

エリザベス・キュブラー・ロス

「もし米国が無ければ、NATOは存在しなかっただろう。しかしEU（欧州連合）もこの過程で米国の役割なしには存在しなかっただろう。第二次世界大戦後、ヨーロッパ人たちは、半世紀にわたって自分たちが二つの破壊的な戦争とホロコーストを経験したことにぞっとした。そして何人かのヨーロッパ人が『我々は歴史を捨て、敵対する民族国家であることを止め、連合を創設しなければならない』と言った。この理論の主要な擁護者はロベルト・シューマンとジャン・モネで、彼らは自分たちのプロジェクトに対しパリ、ロンドン、ブリュッセル、ハーグ、ボン、ローマで受けた以上に重みのある支援をワシントンで受けた。その時、トルーマン政府はヨーロッパ人たちに次のように言った。「あなた方のすぐ傍に大きな恐ろしいソヴィエトの熊が居る。あなた方は、我々が彼からあなた方を護るように望んでいる。あなた方がお互いに戦い合うことを止めるなら、その場合にのみ我々はあなた方を護るだろう」。この言葉は特にフランスとドイツに関わることで、彼らは新しい政治思想を表明し、彼らを戦争から守るであろう新しい体制を構築しなければならなかった。そのようにして欧州連合が誕生した」ブルッキングス研究所長ストローブ・テルボット（米国）[97]。

現在、欧州連合は、平和と繁栄のために統合した民主主義のヨーロッパ諸国の一家族である。EUに加盟している国は共通の機関を設立しており、そこにその国の独立した権限の一部が移譲された。そのお蔭でヨーロッパレベルで共通の関心である具体的な問題について、民主的に採決することが可能になった。独立した権限のこのような統合を「欧州統合」とも言う。

EUには五つの機関があり、その一つ一つが具体的役割を持つ。欧州議会：EU諸国の国民によって選ばれる、欧州連合理事会：EU諸国の政府、欧州委員会：EUの起動力であり執行機関、欧州連合司法裁判所：EU法の保全を保証する、EUの会計委員会または会計監査院：EU予算からの資金の効果的且つ順法的使用を管理する。[98]

法の支配は欧州連合の基本原則である。ＥＵの全ての決定や手続きはＥＵの全加盟国によって承認された条約に基づいている。

ＥＵ諸国間の経済的・政治的統合は、これらの国々が様々な問題について共同決議を採択しなければならないことを意味する。このようにしてＥＵ諸国は、農業から文化まで、消費者の権利から競争条件まで、環境保護とエネルギー使用から運輸や貿易までに至る大変幅広い部門で共同政策を立案した。

一九九二年にはＥＵ枠で経済通貨同盟（ＥＭＵ）を構築し、欧州単一通貨を導入し、その管理は欧州中央銀行が実行するという決議が採択された。欧州単一通貨ユーロは二〇〇二年一月一日に現実となり、その時ユーロの紙幣とコインはＥＵ一五か国の内の一二か国で各国の紙幣に取って代わった。

ウクライナは長期間ＥＵに加盟しようと努めてきた。しかし考慮しなければならない一連の要素がある。第一に、ＥＵはどの国もそうであるように、解決困難なたくさんの問題をそれぞれに抱えた国が統合したグループである。もちろん、多くの問題はグローバリズムや世界経済の進歩と関係がある。しかしながら牛乳の川とゼリーの岸がある夢のような地域の幻影を描く必要はない。

ＥＵに加盟すれば生活が良くなるという理論には、如何なる合理的根拠もない。理解すべきなのは、このような地球規模の統合には独自の発展プログラム、それぞれの国のための独自の部門クオータ（分担）制が存在するが、価格や税率レベルはどの国もほとんど同じで、それは第一に、国民の生活レベルに反映している。

経済正常化の共同プログラムは中央集権化され、単独での決議は許されない。もしどこかの国で、共同プログラムに反して何らかの部門を発展させる決議がなされれば、ＥＵはその部門に必要な補助金をなくす。これが実行されればその部門の仕事は全く儲からなくなる。かくしてポルトガルでは漁業が補助金を受け取っていない。漁業の割り当てはノルウェーに渡された。それで満足しているか、ポルトガル人に尋ねてみてほしい。

ＥＵがどのような役割をウクライナに用意したのか、ウクライナ人は知らない。どんな部門を発展させるよう提示されるのだろうか。農業部門、それはウクライナが自分たちの土地を使って突破口を開くことのできる部門だが、欧州には全く必要ない。その証拠となるのが、例えば、農業部門の低い割り当てが原因で、既に一年に渡って欧州を震撼させている牛乳危機である。

二〇〇九年の一〇月半ばに、ベルギーの農場主たちが三〇〇万リットルの牛乳を地面にぶちまけるという事態を引き起こした。『コレスポンデント』誌の報道によると、「農業生産物の買付価格が愚かしいほど低いことに抗議した農業従事者たちが、欧州の首都の舗装道路に牛を連れて行き、驚く見物人たちの目の前で牛の乳を搾り、新鮮な湯気の立つ牛乳をそのまま地面にぶちまけた」。情報はウクライナの楽観主義者達のためのもので、彼らはＥＵへの加入によって我が国の乳製品の販売市場を広げようとしていたのだ（ジェニ紙）。それとも誰かが、我が国の牛乳は過大に見積もられた買取価格で受け取ってもらえるという思い込みを容認しているのだろうか？

主要な欧州諸国、ベルギー、フランス、オランダ、スイス、イタリアが農業部門での困難を経験しており、近い将来、他の経済部門でも問題が起こるかも知れない。

失業にも移住の過程にも問題がある。現在欧州は、インド、パキスタン、イラン、そしてアジアやアフリカの一部の国々からの移住者で正に溢れかえっている。彼らの内、全ての人が働きたい、ましてや同化したいと思っている訳ではない。そのような傾向は、治安の悪化や犯罪の脅威を内包している。一方ウクライナは、この同じ時に欧州の共同体にとって難儀な国として、常にビザの問題を抱えている。

さらに一つの側面がある。欧州の商品は現在、その値段の高さのためにほとんど競争力がなく、それが本質的に輸出を減らしている。それ故、欧州圏の経済と金融の大臣たちはユーロの保証、しかも中国の援助による保証について話し合っている。[99]

最後に、インターファクス・ウクライナが二〇〇九年一〇月二九日に伝えた、欧州の同胞たちの貧困のレベルについての悲しい統計がある。欧州連合の国民の八〇〇〇万人、あるいは一六％が貧困の境界以下の生活をしていることが分かった。彼らは就業に関して、また教育、住居、社会保障や金融サービスを受けるにあたって大変大きな問題を抱えている。

欧州委員会によって公表された新しい研究データによれば、ヨーロッパ人のおよそ四人に三人（七三％）が、自国における重要問題として貧困を挙げ、八九％がこの問題との戦いのために各国政府は緊急に対策を取らなければならないと言っている。

貧困の原因として最も広く理解されているのは、高い失業率（五二％）と不満足な給料、更に不十分な社会福祉や年金（二九％）、また法外な生活費（二六％）と続く。

半分以上のヨーロッパ人（五六％）が最も貧困のリスクにさらされているのは失業者だと信じていて、他方では四一％の人が最大の弱者は老人だと信じている。また三一％の人は教育や訓練、技能のレベルの低い人々が弱者だと考えている。

金融サービスの利用許可部門に関する嗷々《ごうごう》たる非難が、苦労してやり繰りをつけている人々から出ている。欧州の貧困者の四分の三（七四％）は事実上、貸付金を受けられず、六四％はローンを受けることが困難だと訴え、五五％はクレジットカードを得るのが難しい状況にある。

これだけが共同体の問題ではない。先に述べた様々な問題が深まる中で、欧州はウクライナを受け入れる準備が全く整っておらず、ましてや、ウクライナが国内の矛盾や問題を抱えたままではなおさらである。

その代わりに代替解決策、東方パートナーシップが提示されたが、英国の外務大臣の声明によれば、それはEUへの加盟実現のための一段階にはなり得ない。彼の言葉によれば、このプログラムは第一に、安定化の道具とならなければならない。また欧州市場との統合、経済改革実現が不可欠であること、プログラムに加入する国家間のエネルギー分野や緩和的ビザ制度決定での協力についての話となる。

「プログラム「東方パートナーシップ」は、二〇〇八年の五月二六日の対外関係理事会で、ポーランドの外務大臣がスウェーデンの支持を受け提唱したものだが、それはEUとソヴィエト後の六ヵ国、ベラルーシ、ウクライナ、アルメニア、モルダヴィア、グルジア（ジョージア）、アゼルバイジャンとの関係強化を目指すものだ[100]。

このようなプログラム創設のアイデアは、新しいEUの加盟国である東欧の国とバルト三国が、基本的に米国の援助によってロビー活動を通じて推進した。ユーロ圏の今後の拡大は不可能だという立場をとるEU加盟国の実利主義は大変分かりやすく、それについては欧州議会で何度も議員が発言してきた。

これに関連して警戒心を抱かせているのが現在の提案で、それは今後の発展をEUと共にするのか、あるいはロシアと共にするのかの選択を完全に確定しようというものだ。実際、六か国の内の全ての国がはっきりと西側の道を選択したわけではなく、ロシアとの関係をまだ存続したいと考えている。ついでながらロシアは、そのような提案を受けてはいない。

このように、以前の独立国家共同体の国々と主要な東方勢力であるロシアとの断絶の後押しが起きている。もちろん、欧州は（ロシアを省く）これらの国々との貿易の発達や経験の交換に協力するだろうが、いずれにせよそれは自由圏そのものではないし、自由な関係そのものでもない。しかも欧州が、「東方六か国」で生産される商品を受け入れることはまずないだろう。何故ならそれらの商品は、厳しい欧州の規準に合致していないし、同時にロシアとの相互関係が難しくなるからだ。

もちろん、欧州は自分たちの国民の生活向上のため、移動の障壁を取り除くため、労働力の移動のため、自由なビジネス運営のためにEUに統合している。単一通貨が経済協力の際の余計な経費削減のために導入され、大陸に住む諸国民の文化拡充も広がり、精神的・物質的価値の自由な交換が保障された。

しかしながらウクライナの国内状勢の動向が、ＥＵやＮＡＴＯへの加盟を求める気持ちを失わせている。ここ数年、ウクライナの外交政策の評判があまりに悪化したので、最も強力な欧州選択支持者も自分たちの「西欧化」要求を、幾分かでもはっきりと述べることが出来ない。

古きヨーロッパはウクライナを、全分野におけるその全体的な不安定さと共に、問題だと感じている。ほんの数年前に、ウクライナ国家は早急にＥＵの一員にならなければならないと考えていた西側のエリートたちでさえ、現在は全く方向転換している。

これらの特徴を分析すると、ＮＡＴＯとＥＵの問題は、地域的帰属の原則によるウクライナの分裂を助長すると断言できる。ロシアへの指向が、文化的同一性の原則によるウクライナ社会の分裂状態を強めている。

ウクライナとロシア・敵対

憎みあわないように、お互いに理解しようとは努めない。

スタニスワフ・イェジー・レック

今日、ウクライナ人の民族的自覚を決定づけているのは、その民族の歴史の歩みである。ここ数年の間、歴史的事実の修復と民族自決権の復活の分野で、大変盛んに研究が行われている。何世紀にも及ぶ民族迫害の事実認定は、独立国家ウクライナの存立への志向を決定的にウクライナ人の心に植え付けた。現代のウクライナ人は自己の独自性を肯定し、自由への愛を絶対的に確信しているが、その国家は疑いもなく多様で、有力な後ろ盾を欠いた民主的組成物である。失われた伝統を再び手にし、ウクライナ人は自分たちが所有する土地やエネルギー資源だけでなく、山々をも動かすことのできる大きな人的潜在能力の強さを認識した。

ロシア人は自らの歴史に基づいて、その支配者たちの絶え間ない迫害のみを指摘するが、それと共にロシア帝国の文化的遺産の類なさ、その軍事力、領土的拡大や戦争での勝利を認識することから来る大きな誇りも味わっている。

そしてウクライナ人が例によって共和国や民主主義の思想を口にするや否や、ロシア人たちは管轄主義のビザンチンの遺産に戻り、そして勿論、一九九〇年代の狭間で、自分たちの帝国が超大国の地位を失ったことに深く失望するのだ。

指摘すべきは、政治的関係を経済的関係と共に断ったことで、損失を被ったのは双方の国であると考える必要があるということだ。ソ連邦の時代、共同の経済運営はロシアから、例えば冶金や機械製造の企業を奪い、ウクライナからは注文や販売市場を奪った。しかもそのような傾向は他の部門でも見られる。

共同の経済運営は両国を強く結び付けていたので、軍産複合体においてさえソ連邦崩壊は両国に敗北をもたらした。一方ウクライナはそれに加えて、核大国の地位まで失った。実際、何と言われようと、ウクライナ政府は九〇年代の半ばに有効期限を過ぎた全く役に立たない核兵器を廃棄したが、その期限は延長できるものだった。しかし延長するためには追加の研究作業が必要で、連邦時代はロシアの企業で遂行されていた。それ以外に、兵器の保証期間の延長には五年毎に、少なくとも二つのミサイルの打ち上げ実験を試射場で行わなければならず、試射場もロシアにあった。核大国の地位からウクライナを外す問題について、当時ロシアが米国の立場に同意したのは別の問題である。すぐ傍の核大国などロシアに必要なかったのだ。残念なのはそれらの国によって約束された保証が、完全には履行されなかったことだ。

ロシアの帝国的気運は衰えないだけでなく、むしろその反対である。しかしながらウクライナは、現在の自国の地位を失うことなくロシアと協力する方法を探すことができるし、探さなければならない。勿論、ウクライナ・ロシア関係の発達は、個々の利益の不一致によるいくつかの矛盾をはらむことになる。しかし、相互経済協力の規範的・法的基盤の摺合わせや、税金・関税政策の統一は係争問題の解決を促進するだろう。

ウクライナにとっての最優先事項は、ロシア連邦との戦略的パートナーシップの次のような指針だろう。

・販売市場の相互発展
・エネルギー分野における協力（同一のエネルギーシステムの拡大、エネルギー資源の確保、製油やその他の熱エネルギー複合体の共同の効果的利用）
・両国に役立つためのウクライナの輸送網の発達
・共同の産業構造、協同組合や技術関係の強化
・株式市場と相互投資プロセスの強化

・共同の労働資源市場の積極的強化
・両国の利益が形成される個々の地域の全般的発達、相互に利益のある共同の経済活動圏の開発、交流地区の発展と、ウクライナの利益を支援する経済地帯をロシアに創設すること。
ロシアにとって魅力的な指針と言えば次のようなものだろう。
・戦略的原料（マンガン、チタン、ウラン、クロムなど）、部品のスペア、半製品、生地、様々な部品の供給国ウクライナとの経済関係の維持
・ウクライナの運輸・交通インフラ（主要なパイプライン、港湾、鉄道及び自動車道路、送電線）利用の好条件の維持
・ウクライナの機械工業（運輸・旅客用航空機、ミサイル運搬船の開発と製造）と燃料・エネルギー（稼働中の石油・ガスパイプラインの改築）複合体で遂行予定の投資プロジェクトの実現
ついでながら、ウクライナの教育科学省とロシア連邦の連邦科学イノベーション庁が二〇〇九年の一〇月に協力プログラムに調印したが、そのプログラムでは最新設備の買取と、ナノテクノロジー部門でのウクライナ・ロシアの共同実験を行うことが規定されている。

「協力についての合意の調印のお蔭で、ナノ製品の設計と診断に不可欠な最新の設備を、研究者たちは我が国とロシアで確保することになる」とウクライナ教育科学省の大臣がプレスリリースで語っている。

それ以外に、ウクライナ独立通信社の情報によると、両国の学者たちは基礎的・応用的研究を共同で行うことになるだろう。

「ナノテクノロジー分野における進歩は、我が国の学者の優先課題である。ナノテクノロジーの世界市場は、既に今年は七〇〇〇億ドルに達しているが、二〇一五年にはこの数値が一～二兆ドルまで成長するだろう。それ故、ウクライナとロシアの学者の努力の結集は基礎研究と将来のその商業化を速やかに効果的に行う試みである。それはまた我が国にとって、最新の設備で働くことのできる高度の技術を持つ若い学者やエンジニアを育てるチャンスでもある」と、教育科学省の副大臣で物理・数学博士のマクシム・ストリハ氏は語っている。

おそらくこれは始まりに過ぎないだろう。もし、自らの振る舞いから評判の悪い行動や非外交的な言葉を取り除けば、将来、ウクライナとロシアは相互の尊敬という条件の下で立派に協力し合えるだろう。

ロシアの帝国的政治に関して言えば、ロシア自身にはこれに何も悪いところはない。勿論、ない。あのような潜在能力を持てば、どんな国も幾分は攻撃的に振る舞うだろう。ましてや世界のリーダーになりたいという思いは、自分にとって有利な競争的優位性の構築と、弱い国々の拡大に駆り立てられるだろう。その顕著な例が米国である。

ウクライナがロシアとの関係をそつなく構築できないというのは、また別の話だ。PRテクノロジーの活動の結果、国は二つの陣営に分かれた。一方はロシアをあからさまに敵視しており、他方は必死になってその一部になりたがっている。敵意ある陣営は欧州との合併を夢見ている。そのような政治の結果、ウクライナは現在、世界の舞台で主体ではなく、客体として振る舞う状況となった。

前述した全てのことに立脚すれば、政治的利益というゾーンに入り込んだウクライナは、互恵協力関係の枠で活動しつつ、より巧妙で、動的でなければならない。そうすれば今後、国家の再生と繁栄を促進するばかりになろう。

未来への一歩

まとめは、筆者が考えることに飽きてしまったところで始まる。　　マクシマ・マツァ

私たちの惑星・地球には現在二〇〇以上の国々が存在し、それらの国々に住む民族、少数民族は数千を数える。それぞれの民族には、遺伝的に刻みこまれた独自の民族的性格がある。

どの民族にとっても最も危険なことは、異国の理解できない文化の浸透とそれに続く支配であり、それが今度はその民族を分離させ、その後には消滅させてしまう可能性すらある。だから世界には自分たちの独自性と文化を守ってきた民族だけが生き残った。しかし長い歴史の中には民族間の競争や競り合いの過程で、排他的民族主義やファシズムの高まりによって非友好的で攻撃的な手法が現れたことも少なからずあった。良識的なナショナリズム、あるいはいわゆる愛国主義が、自分たちの文化的空間を守ろうとする中でしばしば他の民族に対する憎悪に転化し、破滅的な結果をもたらした。

今、ウクライナで起きていることは、愛国主義の衝突と名付けられる。ロシア民族もウクライ

ナ民族も、正に自分たちの文化への侵害を防ごうとして、イデオロギーや政治的思惑の影響下で互いに非難を浴びせあっている。しかもそれぞれの民族は、自らの文化を押し付けようとしていることには気づいていない。これはウクライナのように潜在能力のある強い国の存在を、容認したくないであろう全ての者に手を貸すこととなる。

歴史的事実の悪用と解決できない言語の問題は、それがなくても経済的・政治的に弱体化した国家を二つに引き裂きながら、民族間の対立をより深化させている。

しかし、もし良く考えることも止めてしまったら、ウクライナ民族がどこから起こったのか、あるいは何語で今話しているのか、この国の母国語かそうでないかについて、統計上平均的なウクライナ人が一日に何度考えるというのだろうか。

この国の母語で話す。何故なら、正に言語が世界という空間で国家を強調し、正に言語が同じ旗の下に統合し、同じ地に住む民族を特定するからだ。そしてこの国民は、それぞれに自分の言語を持ついくつかの民族から成り立つこともあり得る。しかしながら一つの、国全体に共通の公用語は国家を強固にし、その分離を妨げる。このことは学者たちが認めている事実である。半ファシスト的手法で他の民族の言語を取り上げたり根絶したりしてはいけないというのは、また別の話である。ましてやそれをイデオロギーの高まりに乗せてはいけない。

しかしながら、歴史的事実の探索も、言語の戦いも、国民を食べさせてはくれない。そして理解しなければならないのは、これら全ての背景にあるのは立法、政治、経済の全体的な不安定さだが、全ての衝突は社会制度、国家行政制度の不完全さを覆い隠す目的で人為的に起こされているということである。

さらに一つの問題がある。ウクライナはあまりにも大きな国で、しかも面積と同じく、人的資源においても大きすぎる。このような国家を植民地としたり、あるいは原料を得るための付属地としたりするのは、人口の多さからしても大変難しい。現在の人口は四六〇〇万人だ。残念ながら一〇年前より既に六〇〇万人少ない！（これもまた考察すべき情報である。何故このようなテンポで人口が減っているのか？）

経済学者の意見によれば、国家を植民地にするためには、人口が二五〇〇万人以下でなければならない。もし今、ウクライナを二つの部分に分けるとすれば、ちょうどその位になる。それ故、ウクライナを東と西に、ロシア人地域とウクライナ人地域などに分離するという考えが、尾ひれをつけてしばしば人の口に上る。誰がそんな話を持ち込んでいるのか？　国の分裂、あるいは分裂に協力することに利害関係を持つ人々だ。

しかしやはり、植民地の地位で半分になった各地域の暮らしが良くなることはまずないだろう。「隣の芝生は青く見える」とは大変本質を突いた言い回しだ。どんな国も、他国の「一部分」を愛したり労わったりすることはなく、その代わり嬉々としてそれを利用し、あるいは徹底的に崩壊させる。

ウクライナは産業・エネルギー・人的ポテンシャルを兼ね備えた、かくも巨大な国家である。しかし世界経済、世界政治といった事象の地図の中では大変小さいので、より強力な行政組織に従わざるを得ない。

ウクライナが潜在的な競争力のある強力な国になることに、より強力な行政組織が強い関心を持つようなことはないし、社会における階層的、地位的、金銭的分断を排除するような国が、それでもやはり世界にはあるなどと、ウクライナ国民も期待しない方が良い。全世界は約束事として富める者と貧しい者に、つまり強者と弱者に分かれる。そしてこれは階級の法則であり、その法則が「自分たちの間で起こる衝突の数を減らし、共同体の安定性を高めていく」のだ。

ウクライナ国民はいくつかの民族で構成されているが、その中の主要なものがウクライナ民族とロシア民族なのだということを自覚する必要がある。しかし民族的帰属以外の面では、国民は全て同じなのだ。我々はこの国で一緒に住み、働き、学び、余暇を過ごしている。ここに我々の家があり、友人や大切な人々がいる。そして我々は皆、如何なる分断も民族戦争も決して望んでいない。

歴史には民族的不和が少なからず見られる。クルド人のトルコ人との戦争、バスク人とスペイン人の戦い、ルアンダにおける少数民族間の反目、アゼルバイジャン人とアルメニア人の敵対などがある。民族的分断は、外見上平穏なヨーロッパにもある。チェコ人とスロバキア人、スコットランド人と英国人、カナダのフランス人と英国人、そして前ソヴィエト連邦の多民族、アラブ人とユダヤ人、アジアやアフリカの民族浄化については言うまでもない。

平穏なオーストリアでファシズム支持者の数党が「オーストリア人のためのオーストリア」というスローガンを掲げて政権を取ろうとしている。それらの党のプログラムには他の民族の代表者たちの国外退去が規定されている。スイスでは国民の六〇％以上が自分を熱烈な反ユダヤ主義者だと考えている[101]。

このようなリストを、ましてやイデオロギーに支配されて、補充しない方が良い。このような戦いで国民は勝利しない。戦いごとの全ては政権と資本が決めるのだ。

次は政権について一言。我々は我が国の政治家たちを非難することにあまりに慣れてしまい、本質的なことについては深く考えていないようだ。政権にいる人々の一〇%は幸運によって、四〇%は個人的なカリスマによって、残る五〇%は外的環境によって政権にいるという理論には賛同できる。しかし実際は、ウクライナの政権構造において外的環境によって政権にいる人々は九〇%に達し（しかもここでは個人に対する外的環境であるのは自明の理だ）、残りの一〇%は確かに幸運によって政権の座を占めている。

ウクライナの政治には不快極まる政府関係者がいない。彼らは皆、体制に束縛された人間である。体制というのは、その構造の中で混乱を企てようとする者は全て圧殺する機械である。そこでは、一人では誰も打ち勝つことが出来ない。これについてはヴァジム・ゼランドの『トランサーフィン』で少し読むことができる。体制については他の作家も書いている。

我が国の体制は国内から管理されているのではなく外から、つまりその体制の方向を指示しているのは国のリーダーでも、その反対勢力でさえもないということだ。彼らは、世界共同体のもっと強力な政府関係者たちが押し付けたゲームの規則を、皆一緒に守らなければならない。

この場合にも、ロシアをウクライナと比較しない方が良い。特にその大統領を比べない方が良い。ウラジーミル・プーチンは一人で政権の座に就いたのではなく、体制を連れて政権の座に就いた。一つの体制に勝つことが出来るのは他の体制だけなので、ロシア人にはそれができた。勿論そのような状況では、プーチンの個人的カリスマも働いた。

ウクライナではそのようなシナリオはもう不可能である。我が国の政治家たちは本当に不幸な人々である。彼らは一方の利益が他方の利益とぶつかり合う、大変厳しい状況で働いているからだ。全てが一つの汚職の図式で繋がっていて、その図式の実現のために必要なのは、厚顔無恥と何事にも動じない無神経さを持つことである。しかも賢く品行方正な人物であればあるほど、その悲劇は大きくなる。彼は何が起きているかを悟り理解しているが、何も変えることが出来ないからだ。耐えられなくて去る人もあるが、ほとんどの人は権力の味を知り、この種の麻薬を最早拒むことが出来ない。

実際に国家のために何か良いことをした極めて少数の政治家はすぐに忘れられ、時には、後から泥を浴びせられることさえある。偉大で、しかも愛国者で、自国民のことを心配しているような政治家は、自分に対する侮蔑的な批評を一度ならず聞いている。そういった政治家の中には、レーガン、エリツィン、コール、ワレサ、そしてマーガレット・サッチャーさえ含まれ、彼女は「教養の低い小売店の妻」と呼ばれ、何のために英国に良い教育制度、さらに色々と良きものが必要か、理解する能力がないと言われた。

レオニード・クチマは自身の著書『マイダンの後』で次のように書いている。「現代の国々の指導者たちの運命を見ると、彼らのほとんど全てが結局のところ犠牲者――国民の様々な要求の犠牲者、国民の我儘の犠牲者――となっているという結論に自然と行き着く。シルビオ・ベルルスコーニがそうだ……彼はイタリアの改革のために実に多くのことを成し遂げた。そして地方選挙の一三の地域の内、一一の地域で負けたばかりだ。チェコのヴァーツラフ・ハベルはどのように登場し、去っていっただろうか？　彼はアイドル、国民の良心、誇り、世界におけるヨーロッパの偉大な代表、民主主義の具現者として登場した。統治の議会形態、経済問題といった政府の得意の領域で、彼は政治だけに専念した。彼の名前はビジネスとは繋がりがなかった。そして一体どうなったか？　大変低い支持率で去っていった。ヴァーツラフの支持率は、彼が妻の死後に女優と結婚するや否や急落したそうだ。国民は女優が気に入らなかった。国民は自分たちの元アイドルの結婚が気に入らなかった……」

政治家たちはいつも見られている。つまり彼らは公人だが、我が国の政治家のお歴々の激しい感情の高まりは、もう六年以上静まっていない。勿論、世界の利害関係の転換により、ウクライナでは近い将来全てが去って行くだろう。もう我々をＮＡＴＯにも、欧州にも引き寄せる者はいない。今、自由な決断の舞台が整った。ということは、政権内で変化も起こるだろう。まさにこの時期から未来の統治体制の再建が始まるのだが、それは既に新しい政府関係者との仕事となる。実際、彼らの顔が見えるのは五年くらい先だろうが、レベルの高いスタッフや潜在的な処理能力からすると彼らは最早別のエリートで、決断力があり、重要なのは必要な知識が十分にある人々であることだ。

汚職が生活に不可欠なものではなく、ただの選択の問題になるような状況を、正にこの新しいエリートが上手く獲得できるかも知れない。新しいリーダーたちは、ビジネスや国民の支持を失うことなく、経済改革の効果的な制度を熟考することができるからだ。

資本、即ち我々の社会のビジネスの役割に話を移し、あらゆる歴史的な運命の転換点において、生き延びて来たのは正に富裕層であるという確固たる事実に注意を向けよう。原則として全ての不幸は国民に降りかかった。

キーウ・ルーシの時代に、諸公は民を犠牲にして自分の野心的な欲求を満たしていた。しかも傭兵たちを引き入れたが、今度は傭兵たちが民を強奪した。モンゴル・タタールがやって来て大勢の人々を抹殺したが、豊かな人々は自分の土地を使う権利を与える、いわゆる勅令状を出す交渉をして助かった。歴史上初めてのハーリチナのオリガルヒ（少数独占資本家）は、いつでも競争相手と交渉して、自分の利益を守ることができた。後世のコサックの時代にエリートは、自分の豊かさを維持するために、ポーランドの側に移ってはカトリックの信仰を受け入れ、ロシアでは帝室の味方をした。二十世紀の戦争の時代には多くのエリートが亡命した。勿論、エリートのレベル内でもエリートとしての生存のための闘いがあり、しばしば生死を賭したものとなる。しかし競争の要因とはそのように働くものだ。

勿論、現在のエリートも消えてなくなりはしないと確信できる。危機は資本を削減したが、進取の気性に富む政府の役人たちのために残ったものも時間の問題だ。ここで強調しておきたいのは、自分たちのエリートを抹殺しようとするどんな試みも、正に国民にとって悲しい結果となって終わるということだ。というのも、階級の法則に立脚すれば、社会ではいつも安定した社会層、富裕で生活の心配がない人々の権力が際立って行き、その階級はどんな国家にも存在する。従って、もし、自国の富裕な人々に発展する可能性を与えなければ、他の、外国の富裕な人々がやって来るだけだ。それは良くない。

ウクライナのどんな大都市でも良いから、その都市の名所旧跡のガイドブックを手にとっていただきたい。その歴史的、あるいは近代的建造物のいくつが慈善の資金で建造されたか数えて欲しい。ただ一つ、キーウだけが、五分の一の建造物がパトロンの資金で建てられ、その中にはブロツキー家の人々、シミレンコ、テレシェンコがいる。ついでながら、ニコライ・テレシェンコの資金でキーウ工科大学が立て直された。

現在のパトロンとなっているのはオリガルヒで、彼らがスタジアム、教会、病院を建造し、サッカークラブやスポーツ課の維持に資金を割り当てていて、それが今度は世界という舞台でのウクライナのイメージを確固としたものにしている。

歴史上、ほとんど全ての良きものは慈善事業で造られて来た。国家にはそのような事業への資金は捻出できなかった。従って我が国のオリガルヒは働く場所と賃金を提供しただけでなく、社会が発展する中で重要な社会的役割を果たしている。

外国の投資家で、前述した様々な問題に配慮する人など一人もいないだろう。これも理解しなければならない。彼の目的は利益で、その利益は彼の懐に転がり込み、彼の国のために使われるだろう。

それにも拘らず現在の我が国の政治は、何故か国内資本の発達の邪魔をしている。お粗末な課税システムと、国内製造業者に向けての明らかに差別的な事業構想以外に、国の戦略的に重要な案件が海外の投資家に売り渡されている。ウクライナの産業複合施設の一部は、投資の欠如のため全く停止している。

この一〇年の間に、ウクライナは製造業者の国から消費者の国へと姿を変えてしまった。自国の産業を窮地に陥れる法律は、輸入製品の入口の扉を開放している。そしてそれは世界中の多くの国々で保護関税方策が厳しくなっているのと時を同じくしているのだ。

例えば中国は、全ての国の政府の意中の的となっているが、自国を保護するために適用された差別的な方策の数においてトップである（五五の国々で一〇〇の方策がとられている）。二番目が米国（八六）、三番目がドイツ（八四）となっている。

しかしこの中国は、一度に一六四の国々に作用する最も効果的な防御方法を手にしている。ロシアはこの指標においては六位である（一一七の貿易相手に対する脅威）。しかもロシアは「最も有害な」防御方策の数（二〇）において、絶対的王者であり、二位はドイツ（一五）、三位はインドとインドネシア（それぞれ一〇）で分け合い、四位はイタリア、スペイン、英国（九）で分け合っている。

ウクライナは、いわゆる「有害な方策」つまりＷＴＯ（世界貿易機関）で規定されていない方策を取ることが出来ない。というのも、この機関のメンバーに加入出来て間もないからである。しかも、ウクライナは出された要求を保証するための準備が全くできていないのだ。

ロシアはＷＴＯに加入していない。従って国内市場を保護するため二〇〇九年に、ロシア政府はテレビ（一〇％から一五％）、個々の種類の鉄製圧延製品（五％から一五％）と非合金鋼鉄（五％から二〇％）、また鉄類製のパイプ（五％から一五％と二〇％）の輸入税を引き上げた。ロシア政府は国内自動車産業を支え、事実上、外国ブランドを阻止する税を制定した。新車や走行三年以内の中古車には三〇％、あるいはモーターの体積一立方センチメートル当たり一・二ユーロから二・八ユーロの規模の税が制定され、三年から五年以内の車には三五％、または一・二ユーロから二・八ユーロ、五年以上の車に対しては、税金がモーターの体積次第で二・五ユーロから五・八ユーロになっている[102]。輸入量が削減されて国内の製造業者は操業がはるかに楽になった。だが、ウクライナではこの方策は機能しない。

近い展望において、国内の投資プログラム、例えば株式市場の発達を促進するような制度を国内で受容できる形で機能させなければならないだろう。それは企業に資金を投資する可能性を、先ずはウクライナの投資家に与えることになる。私も海外資本の役割を浅薄皮相なものにしたくはない。ただ正当化された合理主義は、この件においては何にせよ邪魔にならない。実際、外国の投資の本質は、最初の段階では投資レースが展開し、次の段階では利益の流出、しかも投資家の母国に向かう利益の流出となる。だからこそ自国のビジネスを大事にしなければならないし、あらゆることで援助しなければならない。なにしろ国内資本は、市場経済とその競争力の基盤なのだから。

今の状況はというと、親愛なるウクライナの皆さん、私たちは気の毒にも思える政権に問題を抱え、援助が必要な追い詰められた自国ビジネスに問題を抱えている。これら諸問題の中で、一体どこに我々や我が国の利益はあるのだろうか？　おそらく我々は自分たちで自国を援助していけるだろう。情報テクノロジーの世紀では、今後、知的発達のない個人は生き残れないだろうから、現在持つことのできる最も貴重な財産は知性である。

南デンマーク大学の学者たちがセンセーショナルな発見を公表した。第一に、ここ一七〇年間に人間の平均寿命は長くなり、伸び続けていることを彼らは究明した。これに立脚すれば、現在の乳幼児は百歳まで生きるチャンスがある。さらに人間は若返ってもいるのだ。

ロシア医学アカデミー会員、教授、医学博士、ロシア連邦の功労科学者、ロシア老年学科学臨床センターロスドラフのセンター長ヴラジーミル・シャバリンはこの出来事を次のように解説した。

「この一万一〇〇〇年、紀元前九〇〇〇年から紀元後二〇〇〇年の間に、人口は九倍になった。しかも、最初の二〇〇〇万人への倍増が二五〇〇年ほど前に起こったとすれば、最後の倍増は二〇世紀の後半の間に起きて三一億人となり、二〇世紀末までに既に六〇億人となった。つまり、倍増のテンポが速まった。一方、この間に寿命の倍増が起こったのは二回だけだ。何故だろう？科学にとって謎である。

石器時代、平均寿命は十八～二十歳だった。中世においては約三十歳から四十歳。例えばシェークスピアの一つの象徴的な一四行詩がある。『お前の額に四〇年の深い皺が刻まれた時、古いぼろ服をまとったお前を誰が若いと思うだろうか？』つまりシェークスピアの時代（一六世紀から一七世紀）には実際、四十歳で人は十分高齢であった。そして平均して人々が三十五歳まで生きた一九世紀末から二〇世紀末までの間だけで、平均寿命は七十歳から七十五歳になった。即ち、この一〇〇年間だけで、信じられない速さで我々は二倍長く生きるようになった。何故このようなことが起こったのだろうか、これもまた謎だ。あるのは仮説だけだ。

世界保健機構の年齢による分類によれば、生物学的年齢は現在、根本的に変化した。二十五歳から四十四歳、これが若い年齢。四十五歳から五十九歳、これが中年。六十歳から七十四歳が初老。七十五歳から八十九歳が老齢。九十歳以上、これが長寿である。生物学的年齢が延びても、それは文明の手柄ではない。それは本質において人間そのものである知的生物体という物質が体験した内的、深層的な発達の功績である」

よって最も重要なことは、学者曰く、寿命を延ばすためには人間は働いて脳を発達させることが不可欠であるということだ。この場合にのみ、人間は自然にとって興味深い存在となる。怠け者に関して言えば、彼らは単なる生物学的ゴミであって、地球の長い営みの中で淘汰されていく。

脳は働けば働くほど、その稼働状態が長くなればなるほど、我々の生物学的外形である肉体の命を長くする。脳には正常な血圧や血液供給を保証するしかるべき仕事が不可欠だからだ。もし脳が活動しなければ、体の良い状態も脳には必要ない。つまり、脳の要求が他のすべての臓器や、人間の体の生命維持システムに生理的状態を指図しているのだ。

だからウクライナ人よ、自分の脳を発達させてほしい！　それが将来、皆さんの生活上の諸問題の解決や、国家や世界の機構の知識や理解を促進するだけでなく、皆さんの命を何年も、しかも健康で美しい体で延ばしてくれるのだ。

参考文献

1 Мицик Ю.А., Бажан О.Г., Власов В,С. Історія України（ウクライナの歴史）—К., 2008.

2 Дворнік Френсіс. Слов`яни в європейській історії та цивілізації.（ヨーロッパの歴史と文明におけるスラブ人）- К., 2000.

3 Генсьорський А.І. Термін «Русь» (та похідні) в Древній Русі і в період формування східнослов`янських народностей і націй. [Досліджения і матеріали з української мови.]（古代ロシア及び、東スラヴ民族・国家の形成期における「ルーシ」という用語（及びその派生語）［ウクライナ語に関する研究と資料］– К., 1962.

4 Войтович Леонтій. Князівські династії Східної Європи (кінець IX – початок XVI ст.):（東ヨーロッパの王朝（九世紀末～一六世紀初頭）склад, суспільна і політична роль（秩序、社会的及び政治的役割）– Львів, 2000.

5 Крип`якевич Іван. Галицько-Волинське князіство.（ハーリチ・ヴォルイニ公国）- К., 1984.

6 Степанков В.С. Українська держава у середині XVII століття: проблеми становлення і боротьби за незалежність (1648-1657 роки):（一七世紀半ばのウクライナ国家：形成と独立のための闘争の問題点（一六四八～一六五七年）Дис. докт. іст. наук – К., 1993.

7 Щербак Віталій. Українске козацтво: формування соціального стану. Друга половина XV – середина XVII

ст.（ウクライナのコサック：社会的地位の形成。一五世紀後半～一七世紀半ば）– К., 2000.

8 Гвоздик-Пріцак Лариса. Економічна і політична візія Богдана Хмельницького та її реалізація в державі Військо Запорозьке.（ボフダン・フメリニツキーの経済的及び政治的ビジョンと、ザポリージャ・シーチ軍におけるその実現）К., 1999.

9 Голобуцький Володимир. Запорозьке козацтво.（ザポリージャのコサック）– К., 1994.

10 Домінік П'єр Де ля Фліз. Етнографічний опис селян Київської губернії (1854).（キーウ州の農民の民俗学上の記述）– Интернет-сайт. www.litopys.org.ua.

11 Українська державність у XX столітті（二〇世紀のウクライナ国家）К., 1996.

12 Бовуа Даніель. Битва за землю в Україні: 1863-1914:（ウクライナの土地をめぐる闘い：一八六三年～一九一四年）Поляки в соціо-етнічних конфліктах（社会・民族的紛争におけるポーランド人）// НАН України, Інститут східноєвропейських досліджень. – К.: Критик, 1998. – 334 с.

13 Дещо про народності російську та польську, 1865.（ロシア民族とポーランド民族についての若干の記述）[Вѣстникъ Западной Россіи – Вильна, 1865]

14 Рубльов О.С., Реєнт О.П. Українські визвольні змагання 1917-1921 рр.（ウクライナの解放闘争 一九一七年～一九二一年）– К.,1999.

15 Россия – Украина: история взаимоотношений（ロシア―ウクライナ：相互関係の歴史）- М., Международные отношения, 2001.

16 Історія держави і права України（ウクライナの国家と法の歴史）У 2-х частинах. Ч. 2 / За ред. А.Й.Рогожина. К., 1996. -448 с.

17 Кульчицький С.В. Україна між двома війнами (1921-1939 рр.)（二つの戦争の間のウクライナ 一九二一

年〜一九三九年）– К., 1999.
18 Кульчицкий В.С., Тищик Б.Й. Історія держави і права України:（ウクライナの国家と法の歴史）Навчальний посібник.（教材）– Львів, 2000.
19 Кульчицкий С. Сколько нас погибло от голодомора.（どれだけの同胞がホロドモールで亡くなったか。）// Сегодня. – No. 45 (420) 23. – 2002. – 29 ноября.
20 Баран Володимир. Україна 1950-1960-х рр.: еволюція тоталітарної системи（一九五〇年〜一九六〇年代のウクライナ：全体主義システムの進化）– Львів, 1996.
21 Винниченко І.І. Україна 1920-1980-х рр. депортації, заслання, вислання.（一九二〇年〜一九八〇年代のウクライナ：国外追放、亡命、追放）– К., 1994.
22 Історія народного господарства Української РСР（ウクライナソヴィエト社会主義共和国の国民経済史）: У 3-х т. – К., 1985.
23 Павловський М. А. Шлях України（ウクライナの道）– К., Техніка, 1996. – 152 с.
24 Попов В. Проблеми вдосконалення планування і управління народним господарством.（国民経済の計画改善と管理の問題点）Економіка Радянської України. -1986. – No.3.
25 Зайцев Ю.К. Економічна політика: методологія, теорія, практика（経済政策、方法論、理論、実践）– Чернівці, 1998.
26 Лукінов І.І. Економічні трансформації (наприкінці XX сторіччя).（経済変革・20世紀末）– К., 1997. – 455 с.
27 Дзюбик С., Рибак О. Механізми регулювання ринкової економіки.（市場経済を規制するためのメカニズム）– К., 1993.
28 Півторак Григорій. Походження українців, росіян, білорусів та їхніх мов.（ウクライナ人、ロシア人、ベ

ラルーシ人とその言語の起源）– К., 2001.
29 З енциклопедії «Українська мова».（百科事典「ウクライナ語」から）- К.,2000.
30 Українська культура.Лекції（ウクライナ文化・講義）// За ред. Д. Антоновича. – К., 1993.
31 Хвиля Андрій. Знищити коріння українського націоналізму на мовному фронті.（言語面でのウクライナのルーツを破壊すること）– Харків, 1993.
32 Кубайчук Віктор. Хронологія мовних подій в Україні (Зовнішня історія українськоі мови).（ウクライナにおける言語的事象の年表―ウクライナ語の対外関係史）– К., 2004.
33 Масенко Лариса. (У)мовна Україна（「存亡の」言語ウクライナ）– К., 2007.
34 Аджнюк Б. Уроки двомовності: Ірландія（二か国語での授業：アイルランド）// державність української мови і мовний досвід світу.（ウクライナ語の国家体制と世界の言語経験）-К., 2000.
35 Губенко Д. Сучасна мовна політика Балтійських держав.（バルト諸国の現代言語政策）– К., 2000.
36 Ткачеко Орест. Українська мова і мовне життя світу.（ウクライナ語と世界の言語生活）– К., 2004.
37 Історія української культури. XIII – перша половина XVII ст.（ウクライナ文化史・一三世紀～一七世紀前半）– Т.2. – К., 2001.
38 Турченко Ф.Г. и др. Новейшая история Украины.（ウクライナの最新の歴史）– К., 1995.
39 Лиферов А. П. Интеграционный потенциал образовательных систем крупнейших регионов мира.（世界の主要地域の教育システムの総合的なポテンシャル）– Рязань, 1997.
40 Джуринский А.Н. Зарубежная школа: современное состояние и тенденции развития.（海外の学校：現代の状態と発展の傾向）– М., 1995.
41 Министерство образования и науки Украины.（ウクライナ教育科学省）– Інтернет-сайт: www. education.

gov. ua; www.mon.gov.ua.

42 Конкурентоспособность украинских предприятий на внешнем рынке.（海外市場におけるウクライナの企業の競争力）(Сборник статей) – К., 2005.

43 Вісник Пенсійного Фонду України（ウクライナ年金基金会報）– Інтернет сайт: www.vpf.spov.com.ua.

44 Салей Екатерина. Дипломная работа（卒業論文）// Корреспондент. – 2009. – No.41 (380).

45 О реформе системы образования и форме проведения ЕГЭ в РФ.（ロシア連邦における教育システムの改革と統一国家試験の実行方式について）- Інтернет-сайт: www.lerstars.ru.

46 Аксиологические приоритеты в сфере образования и воспитания（教育と育成の分野における公理的優先順位）(история и современность)（歴史と現代）// Под ред. З. И. Равкина. – М.,1997.

47 Гершунский Б.С. Философия образования для XXI века.（二十一世紀のための教育哲学）// В поисках практико-ориентированных образовательных концепций.（実践志向の教育概念を求めて）М., 1997.

48 Данные государственной статистики религиозных организаций в Украине с 1997 по 2009 год.（一九九七年から二〇〇九年に至るウクライナの宗教組織の国家統計データ）Интернет-сайт: www.kultam.net.

49 Православная церковь в Украине: Проблемы «объединения церквей» и автокефалии.（ウクライナにおける正教会：「教会の統一」と中央の総主教からの独立の問題）– Интернет-сайт: www.analitik.org.ua.

50 Википедия. – Интернет-сайт: http: // uk.wikipedia.org.

51 ВСЦ ЕХБ.（福音派キリスト教徒・バプテスト教会の全ウクライナ連合）- Интернет-сайт: http: ecbua. info.

52 Релігійно-інформаційна служба України.（ウクライナの宗教情報サービス）- Інтернет-сайт: http://risu. org.ua.

53 Культы и общество в демократических странах.（民主主義諸国におけるカルトと社会）- Интернет-сайт:http://kultam.net.

54 Оваденко Игорь. Государство и религиозные организации: тоталитарные секты в Украине.（国家と宗教組織：ウクライナにおける全体主義的セクト）- К., 2008.

55 Петрик В.М. Технологии манипулирования сознанием, которые используются в неокультах.（ネオカルトで使用されている意識操作のテクノロジー）- К., 2007.

56 Кравченко Д. Украинская армия, как инструмент влияния в руках деструктивных культов.（破壊的カルトの支配下の影響力の道具としてのウクライナ軍）– К., 2009.

57 Информация в Госкомитет Украины по делам религии от Администрации Президента Украины 20.05.2002.（ウクライナ大統領府からウクライナ国家宗教委員会への情報　二〇〇二年五月二〇日）– No.15-05/1900.

58 Религиоведческий анализ Постановления No.811 Кабинета Министров Украины.（ウクライナ内閣の決議八一一号の宗教学的分析）- Интернет-сайт: http://kultam.net.

59 Министерство юстиции Украины.（ウクライナ法務省）– Интернет -сайт: www.minjust.gov.ua.

60 Кучма Л. После Майдана.（マイダンの後）– К., 2007.

61 Дацюк С. Самосознание Украины, вариант для России.（ウクライナの自覚、ロシアにとってのバリエーション）// День. – 2006. – No.40.

62 Макущенко М., Орлов Д., Голубчик К. Як перетворюють депутатський значок у вигідну бізнес-інвестицію.（議員バッジを収益性の高い事業投資に変える方法）// «1+1» - ТСН-Тиждень. – 2009. -Октябрь.

63 Шляхтун П. Неприкосновенность депутата: парламентский инстурмент или безнаказанность избранных?（議員の不可侵：国会の手段か、それともエリートの免責か？）// 2000. – 2008. No.4.

64 Депутатская неприкосновенность: и хочется, и колется.（議員の不可侵：リスクを伴う願望。）NEWSru.ua//Украина. – 2007. – 14 июня.

65 Большой юридический словарь. ОНЛАЙН Демократия.（法学大辞典オンライン　民主主義）– Интернет-сайт: // http://law-enc.net.

66 Демократия и монархия: прошлое и настоящее.（民主主義と君主制：過去と現在）– Интернет-сайт: // http://5ka.ru.

67 Маслов Олег. Исчерпанность демократии в России начала XXI века (демократии в оценках современников // Независимое аналитическое обозрение.（二一世紀初頭のロシアにおける民主主義の枯渇状態（現代人の評価における民主主義 // 自主的な分析に基づいた評論）– Интернет-сайт: //polit.nnov.ru.

68 Красин Ю. А. «Метаморфозы демократии в изменяющемся мире».（変わりゆく世界における民主主義の変形）// Полис. – 2006. – No.4 – С.127.

69 Белошицкий С. Будущее без демократии.（民主主義の無い未来）// Вече. – 2008. – No.9-10. – С.41.

70 Уэбстер Ф. Теория информационного общества.（情報社会論）– М. Аспект Пресс. 2004. – С.297.

71 Калашников М. Светоч свободы гаснет.（自由の松明は消えつつある。）– Интернет-сайт: http://www.rpmonitor.ru. Аналитический Интернет-журнал.

72 Пекин: западная демократия – не для Китая.（北京：西側の民主主義は中国用ではない。）– Интернет-сайт: http://www.bbcrussian.com.

73 Сорокина Надежда. Оброк на демократию.（民主主義の年貢）// Рос. газ. Федеральный выпуск. – No.

4637. – 2008 – 12 апреля.
74 Конституция Украины.（ウクライナ憲法） – К., 2005. – С.4.
75 Шинкарук Э. Как развивается демократия в Украине?（ウクライナで民主主義はどのように発達しているか?.） - Интернет-сайт: http://glavred.info/archive 17.04.08.
76 Пазенок В. Демократия и человек // Политика и время.（民主主義と人間 // 政治と時代） - 2003. - No.2 – С.10.
77 Скорик М. Гнев народный //Профиль.（民衆の怒り // 側面） – 2008. – No.29-30 (48-49) – 9 августа.- С.20.
78 Тигипко С. Украина: проект развития.（ウクライナ：発展のプロジェクト） – К., 2009.
79 Соцопрос: демократия в Украине не нужна её гражданам.（世論調査：ウクライナの民主主義は国民には必要ない。） 10 октября 2007 г. – Интернет-сайт: http://rus.newsru.ua.
80 Ильин И. Кризис демократии обостряется.（民主主義の危機は進行している。） – Интернет-сайт: //http://www.apocalypse.orthodoxy.ru.
81 Тарасов И. Идеологическое перепутье Центрально-Восточной Европы.（中部東ヨーロッパのイデオロギーの岐路） – Интернет-сайт: //http://www.perspektivy.info.
82 Яжборовская И. Политологические подходы к проблематике трансформации общественного устройства в странах Центральной и Юго-восточной Европы.（中部及び南東ヨーロッパ諸国における社会構造の変容問題への政治学的アプローチ） – Интернет-сайт: //www.lawinrussia.ru.
83 Шимов Я. Зона популизма.（ポピュリズムのゾーン） – Интернет-сайт: //http://www.gazeta.ru.
84 Концепція гуманітарного розвитку України.（ウクライナの人文科学の発展の概念）Національний інститут стратегічних досліджень. Проект від 14.03.2008.

85 Морква О. Объективных причин для быстрого восстановления украинской эконимики в 2010 году – нет.（二〇一〇年のウクライナ経済の急速な回復に客観的な理由はない。） – Інтернет-сайт: // http://ineko-invest.com.

86 Тінь над українською економікою збільшилася.（ウクライナ経済の地下化が強まった。） – Інтернет-сайт: // http://www.epravda.com.ua.

87 Українська економіка йде у тінь.（ウクライナの地下経済が進行している。） – Інтернет-сайт: // http://www.epravda.com.ua.

88 Крупнейшие мировые кризисы（最大の世界危機） // Коммерсанть. – 2008. - No.8 (3825). – 23 января.

89 Герчикова И.Г. «Международные экономические организации».（国際経済機関） – М.: Изд. АО «Консалтбанк КИР», 2001. – 621 с.

90 Вершко Д. Жесткие условия МВФ.（ＩＭＦの厳しい条件） – Инернет-сайт. // http://obozrevatel.com.

91 Латиноамериканский опыт финансовой стабилизации.（ラテンアメリカの経済安定化の経験。） // Деньги и кредит. – 2000. No.12. – С.43-54.

92 Лавриненко И. Конец суверенной экономики.（自主経済の終焉） //Эксперт. – 2009. – No.43 (186)

93 Цыганов Ю. Международный валютный фонд: кнут или пряник?（ＩＭＦ：鞭か飴か?·） // Чужие деньги. – 2009. – No.71. Февраль.

94 История создания и задачи НАТО.（ＮＡＴＯ創立の歴史と課題） Интернет-сайт: // http://www.db.niss.gov.ua.

95 НАТО не намерено оказывать военную помощь Украине.（ＮＡＴＯはウクライナに軍事支援をするつもりはない。） – Аппатурай. – Интернет-сайт: // http://www.ua.rian.ru.

96 Ющенко просит НАТО не слушать Россию и дать Украине ПДЧ.（ユーシェンコはＮＡＴＯに、ロシアの言うことを聞かずにウクライナに加盟国行動計画（ＰＡＭ）を与えるよう依頼している。）– Интернет-сайт: // http://www.pravda.com.ua.
97 Волошин О. Империализм кончился.（帝国主義は終わった。）// Эксперт. – 2009. – No.29-30 (79). – 24 июля.
98 Шреплер Х.А. Международные организации.（国際機関）(Справочник). – М.,1995.
99 Европадение.（ユーロの崩壊）// Корреспондент. – 2009. – No.40 (379) – 23 октября.
100 Европа задумалась над своей бедностью.（欧州は自らの貧しさについて考え込んだ。）// Интерфакс-Украина. – Интернет-сайт:. http://www.interfax.com.ua.
101 Войны, терроризм, экономические войны, безопасность.（戦争、テロリズム、経済戦争、安全）- Интернет-сайт: // http://www.adventus.info.
102 Савельева Д. Россия – мировой лидер по числу вредных для экономики протекционистких мер.（ロシアは経済にとって有害な保護関税主義政策の数において世界のトップである。）- Интернет-сайт: // http://www.rb.ru.

訳者あとがき

二〇二二年二月二四日、ロシアのウクライナ侵攻が始まった日、私はその事実を受け止めることができなかった。現代の世の中で、そんなことが起こることが信じられなかった。ロシア語を学んできたお蔭で、ロシアには素晴らしい芸術や文学作品の数々のみならず、教養ある心温かい人々がたくさんおられることを私は知っている。そのロシアが何故……

ロシアを擁護する人たちの声も周りにはあったが、私は同調できなかった。何かウクライナのためにしたいと思った。庶民が出来るわずかな寄付以外に、私にできることはないか……と思った時、私は一冊の本を思い出した。

十五年前にガイドの仕事で、ウクライナのご夫婦を日光と箱根にご案内したことがあった。たった二日間だったが、本当に色々なことに興味をもたれて質問され、話が弾んだ記憶がある。旅の終わりにお二人が感謝の言葉を添えてカードを下さり、それには二つのメールアドレスとキーウのご住所が書いてあった。旅の記念にでもなればと思い、私はカードをキーウに送った。それがきっかけで二、三度手紙のやり取りがあり、奥様であるナターリヤ・セメンチェンコ氏がご自身の著書を送って下さった。本書である。だが、忙しさもあり、読了するに至っていなかった。

侵攻があって私はもう一度読み始めた。そしてそのうちに訳そう、訳さなければと思った。長い歴史の中で独立を希求しながらも二〇世紀末までそれが果たせなかったウクライナの苦しみと、その中でも文化、伝統、ウクライナ語を守り抜いたその強さ、そして自国を愛するが故の様々な氏の提言で、国家にとって大事なものは何かを私はこの本から教わったように思う。

遅々とした歩みだったが、何とか一年かけて訳し終えた。歴史上の出来事、名前や地名は主に黒川祐次氏著『物語　ウクライナの歴史』（中央公論新社）を参考にさせて頂いた。ウクライナ語の短い詩の訳、及びロシア語についてもジェロリア・ラリッサ先生には大変助けて頂いた。

訳し終え、氏の二つのアドレスに出したメールの一つは不達になり、お返事もなかった。それでもあきらめきれず、お世話になっている出版社、未知谷の編集部に原稿を送って見て頂いた。興味をもって頂き、キーウの出版社に連絡して頂いたが、やはり返事がなかった。あきらめかけた時、未知谷の飯島さんが「もう一度ご本人に連絡を」と仰ったので、不達にならなかったアドレスと、私の携帯に奇跡的に残っていた女史の電話番号と共にあったアドレスにメールを送った。二日して彼女からメールが届いた！

女史は私のことを覚えていて下さり、日本での出版も喜んで下さった。キーウの出版社は戦争のために稼働していないとのこと。ご本人と連絡ができたのは本当に幸運としか言いようがない。拙い訳ではあるが、本書が読者の皆様の心に届くことを深く願っている。

最後に出版にあたりお世話になった皆々様に心からお礼申し上げる。

（2023.7.23）